#서술형
#해결전략
#문제해결력
#요즘수학공부법

수학도
독해가
힘이다

*Chunjae*
*Maketh*
*Chunjae*

▼

| 기획총괄 | 박금옥 |
|---|---|
| 편집개발 | 윤경옥, 김미애, 박초아, 이은혜, 조선현, |
| | 김연정, 김수정, 김유림 |
| 디자인총괄 | 김희정 |
| 표지디자인 | 윤순미, 김지현 |
| 내지디자인 | 박희춘, 이혜미 |
| 제작 | 황성진, 조규영 |

| 발행일 | 2020년 10월 1일 초판  2020년 10월 1일 1쇄 |
|---|---|
| 발행인 | (주)천재교육 |
| 주소 | 서울시 금천구 가산로9길 54 |
| 신고번호 | 제2001-000018호 |
| 고객센터 | 1577-0902 |

# 수학도 독해가 힘이다

## 초등 수학 3·1

4차 산업혁명 시대!
AI가 인간의 일자리를 대체하는 시대가
코앞에 다가와 있습니다.

인간의 강력한 라이벌이 되어버린 **AI를 이길 수 있는**
인간의 가장 중요한 **능력 중 하나는**
바로 **'독해력'**입니다.

수학 문제를 푸는 데에도 이러한 **'독해력'**이 필요합니다.
일단 **문장을 읽고 이해한 후 수학적으로 바꾸어 생각하여**
무엇을 구해야 할지 알아내는 것이 수학 독해의 핵심입니다.

〈수학도 **독해가 힘이다**〉는 읽고 이해하는
**수학 독해력 훈련의 기본서**입니다.

## Contents

# 이 책의 특징

## 문제 해결력 기르기

### ❸ 해결 전략을 익혀서 선행 문제 → 실행 문제를 완성!

**선행 문제 해결 전략**

일의 자리 숫자끼리의 합(차)만으로 합(차)이
■가 되는 두 수를 예상하여 찾을 수 있어.

**예** 합이 451인 두 수 찾기

| 143 | 209 | 308 |

합 **451**의 일의 자리 숫자가 **1**이므로
일의 자리 숫자끼리의 합이 **1**인 두 수는

$$143+209=\square\square2\,(\times)$$
$$\underset{3+9=12}{\underbrace{\qquad\qquad}}$$

$$209+308=\square\square7\,(\times)$$

### ❷ 선행 문제를 풀면 실행 문제를 풀기 쉬워져!

**선행 문제 ❶**

다음에서 합의 일의 자리 숫자가 4인 두 수를
찾아 쓰세요.

| 208 | 345 | 106 |

실행 문제를 풀기 위한 워밍업

**풀이** 208+345의 일의 자리 숫자: ☐

345+106의 일의 자리 숫자: ☐

208+106의 일의 자리 숫자: ☐

➜ 합의 일의 자리 숫자가 4인 두 수:

### ❶ 실행 문제를 푸는 것이 목표!

**실행 문제 ❶**

두 수를 골라 덧셈식을 만들려고 합니다./
☐ 안에 알맞은 두 수를 구하세요.

| 416 | 885 | 784 |

$$\boxed{\phantom{00}}+\boxed{\phantom{00}}=1200$$

**전략** 합 1200의 일의 자리 숫자가 0이므로
일의 자리 숫자끼리의 합이 0인 두 수를 찾자.

❶ 일의 자리 숫자끼리

풀이 단계별 전략 제시

☐ , ☐

### ❹ 쌍둥이 문제로 실행 문제를 완벽히 익히자!

**쌍둥이 문제 1-1**

두 수를 골라 덧셈식을 만들려고 합니다./
☐ 안에 알맞은 두 수를 구하세요.

| 525 | 609 | 644 |

$$\boxed{\phantom{00}}+\boxed{\phantom{00}}=1134$$

**실행 문제 따라 풀기**

실행 문제 해결 방법을
보면서 따라 풀기

❶

❷

답 _____

## 실전 2 수학 사고력 키우기

단계별로 풀면서 **사고력 UP!** 따라 풀기를 하면서 **서술형 완성!**

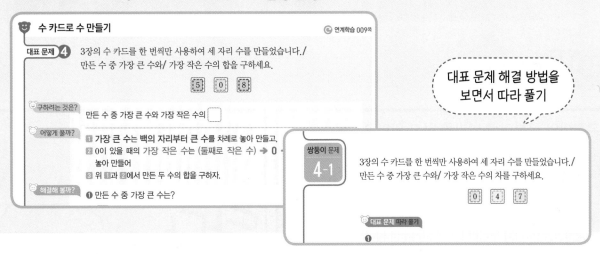

😊 수 카드로 수 만들기　　　　　　　　　　　　ⓒ 연계학습 009쪽

**대표 문제 4** 3장의 수 카드를 한 번씩만 사용하여 세 자리 수를 만들었습니다./
만든 수 중 가장 큰 수와/ 가장 작은 수의 합을 구하세요.

[5] [0] [8]

😊 구하려는 것은?
만든 수 중 가장 큰 수와 가장 작은 수의 □

😊 어떻게 풀까?
1 가장 큰 수는 백의 자리부터 큰 수를 차례로 놓아 만들고,
2 0이 있을 때의 가장 작은 수는 (둘째로 작은 수) → 0 □
놓아 만들어
3 위 1과 2에서 만든 두 수의 합을 구하자.

😊 해결해 볼까?
❶ 만든 수 중 가장 큰 수는?

**쌍둥이 문제 4-1** 3장의 수 카드를 한 번씩만 사용하여 세 자리 수를 만들었습니다./
만든 수 중 가장 큰 수와/ 가장 작은 수의 차를 구하세요.

[0] [4] [7]

😊 대표 문제 따라 풀기
❶

> 대표 문제 해결 방법을 보면서 따라 풀기

## 완성 3 수학 독해력 완성하기

차근차근 단계를 밟아 가며 **문제 해결력 완성!**

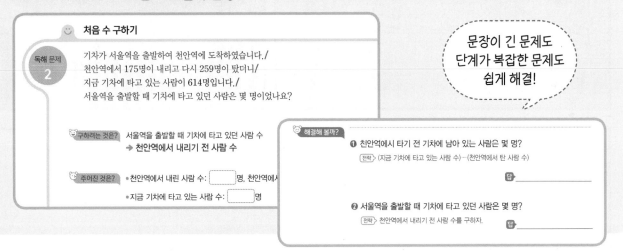

😊 처음 수 구하기

**독해 문제 2** 기차가 서울역을 출발하여 천안역에 도착하였습니다./
천안역에서 175명이 내리고 다시 259명이 탔더니/
지금 기차에 타고 있는 사람이 614명입니다./
서울역을 출발할 때 기차에 타고 있던 사람은 몇 명이었나요?

😊 구하려는 것은?　서울역을 출발할 때 기차에 타고 있던 사람 수
　　　　　　　　　➜ 천안역에서 내리기 전 사람 수

😊 주어진 것은?　• 천안역에서 내린 사람 수: □명, 천안역에서
　　　　　　　　 • 지금 기차에 타고 있는 사람 수: □명

😊 해결해 볼까?
❶ 천안역에서 타기 전 기차에 남아 있는 사람은 몇 명?
전략 (지금 기차에 타고 있는 사람 수)−(천안역에서 탄 사람 수)
답 _____

❷ 서울역을 출발할 때 기차에 타고 있던 사람은 몇 명?
전략 천안역에서 내리기 전 사람 수를 구하자.
답 _____

> 문장이 긴 문제도 단계가 복잡한 문제도 쉽게 해결!

## 특별 코너 4 창의·융합·코딩 체험하기

요즘 수학 문제인 **창의 · 융합 · 코딩** 문제 수록

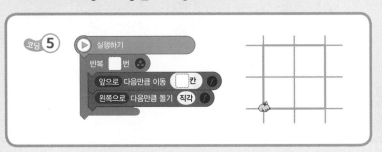

코딩 5　▶ 실행하기
반복 □ 번 ✕
앞으로 다음만큼 이동 □칸
왼쪽으로 다음만큼 돌기 직각

> 4차 산업 혁명 시대에 알맞은 최신 트렌드 유형

# 1 덧셈과 뺄셈

**FUN** 한 이야기

윤석이와 로봇이 줄넘기를 하고 있어요.

로봇은 줄넘기를 522회 했고,

520, 521, 522

윤석이는 로봇보다 137회 더 적게 했어요.

으~이~너...무...
힘...들...어.

윤석이와 로봇이 한 줄넘기는 모두 몇 회인가요?

오늘도 이겼지롱~

무...물...좀...줘...

윤석이와 로봇이 줄넘기를 하고 있어요./

로봇은 줄넘기를 522회 했고,/ 윤석이는 로봇보다 137회 더 적게 했어요./

윤석이와 로봇이 한 줄넘기는 모두 몇 회인가요?

윤석이는 나보다 137회 더 적게 했으니 뺄셈식을 세워야 윤석이가 한 줄넘기 횟수를 구할 수 있어.

윤석이가 한 줄넘기 횟수를 구해 내가 한 줄넘기 횟수와 더하자.

윤석이와 로봇이 한 줄넘기 횟수를 구해 보자.

로봇이 한 줄넘기 횟수: _____ 회

윤석이가 한 줄넘기 횟수: 522 − ☐ = ☐ (회)

윤석이와 로봇이 한 줄넘기 횟수: _____ 회

# 문제 해결력 기르기

STEP

## 1 ~보다 더 많은(적은) 수 구하기

**선행 문제 해결 전략**

• 덧셈식, 뺄셈식으로 나타내는 표현 알아보기

**＋ 덧셈식**

• ~보다 ■만큼 더 큰 수
• ~보다 더 많이
• 두 수의 합, 모두

**― 뺄셈식**

• ~보다 ■만큼 더 작은 수
• ~보다 더 적게
• 두 수의 차, 남은 (남는)

**선행 문제 1**

문장에 알맞은 식을 세워 구하세요.

(1) ┌─────────────────────┐
    │ 153개보다 124개 더 많은 수 │
    └─────────────────────┘

**풀이** '더 많은'이므로 덧셈식을 세운다.

→ 153 ◯ 124 ＝ ☐ (개)

(2) ┌─────────────────────┐
    │ 852개보다 112개 더 적은 수 │
    └─────────────────────┘

**풀이** '더 적은'이므로 뺄셈식을 세운다.

→ 852 ◯ 112 ＝ ☐ (개)

**실행 문제 1**

과수원에서 수확한 사과는 234개입니다./
귤은 사과보다 355개 더 많이 수확했다면/
수확한 귤은 몇 개인가요?

**전략** '~보다 더 많이'에 알맞은 식을 정하자.

❶ 귤은 사과보다 더 많이 수확했으므로
( 덧셈식 , 뺄셈식 )을 세워야 한다.

**전략** (수확한 사과의 수)＋355

❷ (수확한 귤의 수)＝ ☐ ＋355

  ＝ ☐ (개)

**쌍둥이 문제 1-1**

△△ 도서관에 동화책은 344권 있습니다./
위인전은 동화책보다 103권 더 적게 있다면/
위인전은 몇 권 있나요?

**실행 문제 따라 풀기**

❶

❷

답 _____

답 _____

덧셈과 뺄셈

## ② 어떤 수 구하기

**선행 문제 해결 전략**

• 덧셈과 뺄셈의 관계를 이용하여 ■의 값 구하기

$+$ 는 $-$ 로 변신!

$-$ 는 $+$ 로 변신!

$$■+1=4$$
변신
$$■=4-1$$

$$■-1=4$$
$$■=4+1$$

**선행 문제 ②**

어떤 수를 구하세요.

(1) $(어떤 수)+187=408$

풀이 $(어떤 수)+187=408$

$(어떤 수)=408-\boxed{\phantom{00}}$

$=\boxed{\phantom{00}}$

(2) $(어떤 수)-334=667$

풀이 $(어떤 수)-334=667$

$(어떤 수)=667+\boxed{\phantom{00}}$

$=\boxed{\phantom{00}}$

**실행 문제 ②**

어떤 수에 158을 더했더니 763이 되었습니다./ 어떤 수를 구하세요.

전략 밑줄 친 문장에 알맞은 덧셈식을 세우자.

❶ $(어떤 수)+\boxed{\phantom{00}}=763$

전략 덧셈과 뺄셈의 관계를 이용하여 어떤 수를 구하자.

❷ $(어떤 수)=763-\boxed{\phantom{00}}$

$=\boxed{\phantom{00}}$

답 _____

**쌍둥이 문제 2-1**

어떤 수에서 264를 뺐더니 427이 되었습니다./ 어떤 수를 구하세요.

**실행 문제 따라 풀기**

❶

❷

답 _____

### ③ 거리 구하기

 수직선을 보고 식으로 나타내어 문제를 해결해 봐.

**예** 수직선의 수로 여러 가지 식 세우기

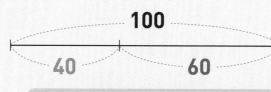

**100**

40    60

(1)    **100＝40＋60**

(2)    **40＝100－60**

(3)    **60＝100－40**

**선행 문제 ③**

(1) ㉠을 구하는 식을 세워 보세요.

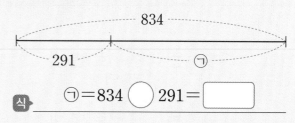

834

291    ㉠

식 ㉠＝834 ◯ 291＝ ☐

(2) ㉡을 구하는 식을 세워 보세요.

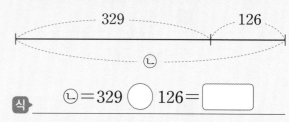

329    126

㉡

식 ㉡＝329 ◯ 126＝ ☐

**실행 문제 ③**

가에서 다까지의 거리는 3 m이고,/
가에서 나까지의 거리는 145 cm입니다./
나에서 다까지의 거리는 몇 cm인가요?

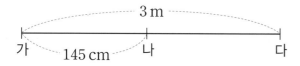

3 m

가   145 cm   나   다

전략 답을 몇 cm로 구해야 하므로 3 m를 cm 단위로 고치자.

❶ (가~다)의 거리

＝3 m＝ ☐ cm

전략 (가~다)의 거리－(가~나)의 거리

❷ (나~다)의 거리

＝ ☐ －145＝ ☐ (cm)

답 _____

**쌍둥이 문제 3-1**

가에서 다까지의 거리는 5 m이고,/
가에서 나까지의 거리는 314 cm입니다./
나에서 다까지의 거리는 몇 cm인가요?

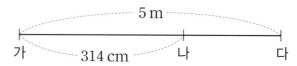

5 m

가   314 cm   나   다

실행 문제 따라 풀기

❶

❷

답 _____

**④ 수 카드로 수 만들기**

## 선행 문제 해결 전략

가장 큰 세 자리 수를 만들려면 큰 수부터 백, 십, 일의 자리에 차례로 놓고,

가장 작은 세 자리 수를 만들려면 작은 수부터 백, 십, 일의 자리에 차례로 놓자.

예 **7**, **3**, **8** 로 세 자리 수 만들기

├ 가장 큰 수: **873** → 큰 수부터 차례로

└ 가장 작은 수: **378** → 작은 수부터 차례로

예 **0**, **1**, **2** 로 세 자리 수 만들기

├ 가장 큰 수: **210** → 큰 수부터 차례로

└ 가장 작은 수: **102** → (둘째로 작은 수)가 가장 먼저

주의 가장 작은 세 자리 수를 만들 때 0은 백의 자리에 올 수 없으므로 십의 자리에 놓는다.

## 선행 문제 ④

3장의 수 카드를 한 번씩만 사용하여 세 자리 수를 만들려고 합니다. 물음에 답하세요.

(1) 가장 큰 세 자리 수를 만드세요.

풀이 9 > ⬜ > ⬜

→ 가장 큰 세 자리 수: ⬜⬜⬜

(2) 가장 작은 세 자리 수를 만드세요.

풀이 1 < ⬜ < ⬜

→ 가장 작은 세 자리 수: ⬜⬜⬜

## 실행 문제 ④

수 카드 3 , 6 , 2 를 한 번씩만 사용하여
세 자리 수를 만들었습니다./
만든 수 중 가장 큰 수와/ 가장 작은 수의 합을
구하세요.

전략 큰 수부터 백, 십, 일의 자리에 차례로 써서 만들자.

❶ 가장 큰 세 자리 수: ⬜⬜⬜

전략 작은 수부터 백, 십, 일의 자리에 차례로 써서 만들자.

❷ 가장 작은 세 자리 수: ⬜⬜⬜

전략 위 ❶, ❷에서 만든 두 수를 더하자.

❸ 합: ⬜ + ⬜ = ⬜

답 _____

## 쌍둥이 문제 4-1

수 카드 4 , 5 , 9 를 한 번씩만 사용하여
세 자리 수를 만들었습니다./
만든 수 중 가장 큰 수와/ 가장 작은 수의 차를
구하세요.

실행 문제 따라 풀기

❶

❷

❸

답 _____

## 1 STEP { 문제 해결력 기르기 }

### ⑤ ■에 알맞은 가장 큰(작은) 수 구하기

**선행 문제 해결 전략**

• >, <가 있을 때 ■에 알맞은 자연수 구하기

| 예 ■ > 437 | 예 ■ < 906 |
|---|---|
| ■는 437보다 커야 하므로 | ■는 906보다 작아야 하므로 |
| ■=438, 439…… | ■=905, 904…… |
| ■ 중 가장 작은 수: 438 | ■ 중 가장 큰 수: 905 |

**선행 문제 ⑤**

(1) ■에 알맞은 자연수 중에서 가장 작은 수를 구하세요.

$$■ > 526$$

풀이 ■는 526보다 커야 하므로 ■에 알맞은 수 중 가장 작은 수는 ☐ 이다.

(2) ■에 알맞은 자연수 중에서 가장 큰 수를 구하세요.

$$■ < 761$$

풀이 ■는 761보다 작아야 하므로 ■에 알맞은 수 중 가장 큰 수는 ☐ 이다.

**덧셈과 뺄셈**

10

---

**실행 문제 ⑤**

■에 알맞은 자연수 중에서/ 가장 큰 수를 구하세요.

$$337 + ■ < 593$$

전략 <를 =로 바꿔 ■를 구하자.

❶ 337 + ■ = 593,

■ = 593 − ☐ = ☐

전략 337 + ■는 593보다 작아야 하므로 실제로 ■는 ❶에서 구한 수보다 작다.

❷ 문제의 식을 간단히 나타내면

■ < ☐

❸ ■에 알맞은 자연수 중 가장 큰 수:

☐

답 _____

---

**쌍둥이 문제 5-1**

■에 알맞은 자연수 중에서/ 가장 큰 수를 구하세요.

$$■ + 148 < 495$$

**실행 문제 따라 풀기**

❶

❷

❸

답 _____

## 6 합(차)이 ■가 되는 두 수 찾기

### 선행 문제 해결 전략

일의 자리 숫자끼리의 합(차)만으로 합(차)이 ■가 되는 두 수를 예상하여 찾을 수 있어.

예) 합이 451인 두 수 찾기

| 143 | 209 | 308 |

**합 451의 일의 자리 숫자가 1이므로 일의 자리 숫자끼리의 합이 1인 두 수는**

$$143+209=\square\square2 \,(\times)$$
$3+9=12$

$$209+308=\square\square7 \,(\times)$$
$9+8=17$

$$143+308=\square\square1 \,(\bigcirc)$$
$3+8=11$

➡ 합이 451이라고 예상하는 두 수: 143, 308

### 선행 문제 6

다음에서 합의 일의 자리 숫자가 4인 두 수를 찾아 쓰세요.

| 208 | 345 | 106 |

풀이) 208＋345의 일의 자리 숫자: ☐

345＋106의 일의 자리 숫자: ☐

208＋106의 일의 자리 숫자: ☐

➡ 합의 일의 자리 숫자가 4인 두 수:

☐ , ☐

### 실행 문제 6

두 수를 골라 덧셈식을 만들려고 합니다./
☐ 안에 알맞은 두 수를 구하세요.

| 416 | 885 | 784 |

☐ ＋ ☐ ＝1200

전략) 합 1200의 일의 자리 숫자가 0이므로
일의 자리 숫자끼리의 합이 0인 두 수를 찾자.

❶ 일의 자리 숫자끼리의 합이 0인 두 수:

☐ , ☐

전략) ❶에서 답한 두 수의 합을 구하여 확인하자.

❷ 덧셈식: ☐ ＋ ☐ ＝ ☐

답 _____

### 쌍둥이 문제 6-1

두 수를 골라 덧셈식을 만들려고 합니다./
☐ 안에 알맞은 두 수를 구하세요.

| 525 | 609 | 644 |

☐ ＋ ☐ ＝1134

실행 문제 따라 풀기

❶

❷

답 _____

덧셈과 뺄셈

1

# { 수학 사고력 키우기 }

## 🐻 ~보다 더 많은(적은) 수 구하기

🅒 연계학습 006쪽

**대표 문제 ①**

제주도로 가는 비행기에 어른은 212명 탔고, /
어린이는 어른보다 105명 더 적게 탔습니다. /
이 비행기에 탄 어른과 어린이는 모두 몇 명인가요?

🐻 **구하려는 것은?**

비행기에 탄 어른과 [          ] 수의 합

🐻 **주어진 것은?**

• 비행기에 탄 어른 수: [          ] 명

• 어린이가 어른보다 [          ] 명 더 적게 탐.

🐻 **해결해 볼까?**

❶ 비행기에 탄 어린이는 몇 명?

[전략] (비행기에 탄 어른 수)−105

답 _____

❷ 비행기에 탄 어른과 어린이는 모두 몇 명?

[전략] (비행기에 탄 어른 수)+(비행기에 탄 어린이 수)

답 _____

**쌍둥이 문제**

**1-1**

천재미술관에 그림은 366점 있고, /
조각은 그림보다 135점 더 적게 있습니다. /
천재미술관에 있는 그림과 조각은 모두 몇 점인가요?

🐻 **대표 문제 따라 풀기**

❶

❷

답 _____

## 😊 어떤 수 구하기

ⓒ 연계학습 007쪽

**대표 문제 2**

종이 2장에 세 자리 수를 각각 써 놓았는데/
그중 한 장이 찢어져서 백의 자리 숫자만 보입니다./
두 수의 합이 934일 때 찢어진 종이에 적힌 세 자리 수를 구하세요.

| 546 | 3 |

😊 **구하려는 것은?**

찢어진 종이에 적힌 ☐ 자리 수

😊 **어떻게 풀까?**

1 찢어진 종이에 적힌 세 자리 수를 ☐라 하여 덧셈식을 세운 후,

2 덧셈과 뺄셈의 관계를 이용해 ☐를 구하자.

😊 **해결해 볼까?**

❶ 찢어진 종이에 적힌 세 자리 수를 ☐라 하여 덧셈식을 세우면?

**식** _____

❷ 찢어진 종이에 적힌 세 자리 수는?

[전략] ❶에서 세운 식에서 덧셈과 뺄셈의 관계를 이용해 ☐를 구하자.

**답** _____

**쌍둥이 문제 2-1**

종이 2장에 세 자리 수를 각각 써 놓았는데/
그중 한 장이 찢어져서 백의 자리 숫자만 보입니다./
두 수의 차가 574일 때 찢어진 종이에 적힌 세 자리 수를 구하세요.

| 237 | 8 |

😊 **대표 문제 따라 풀기**

❶



❷



**답** _____

{ 수학 **사고력** 키우기 }

## 😊 거리 구하기

연계학습 008쪽

**대표 문제 ❸** 가에서 다까지의 거리는 443 m이고, / 다에서 라까지의 거리는 394 m입니다. / 가에서 나까지의 거리가 261 m일 때/ 나에서 라까지의 거리는 몇 m인가요?

```
가        나    다                라
```

😊 **구하려는 것은?**
나에서 [ ] 까지의 거리

😊 **어떻게 풀까?**
❶ 문제에 주어진 거리를 그림에 나타낸 후,
❷ (가〜라)의 거리를 구하고, (나〜라)의 거리를 구하자.

😊 **해결해 볼까?**

❶ 문제에 주어진 거리를 그림에 나타내면?

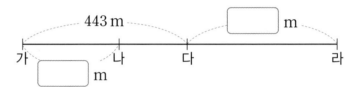

❷ 가에서 라까지의 거리는 몇 m?
전략〉 (가〜다)의 거리＋(다〜라)의 거리

답 _____

❸ 나에서 라까지의 거리는 몇 m?
전략〉 (가〜라)의 거리－(가〜나)의 거리

답 _____

덧셈과 뺄셈

1

**쌍둥이 문제 3-1**

가에서 나까지의 거리는 337 m이고, / 나에서 라까지의 거리는 264 m입니다. / 가에서 다까지의 거리가 486 m일 때/ 다에서 라까지의 거리는 몇 m인가요?

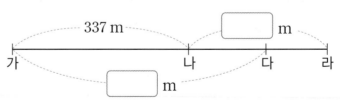

😊 **대표 문제 따라 풀기**

❶

❷

❸

답 _____

## 😊 수 카드로 수 만들기

ⓒ 연계학습 009쪽

**대표 문제 ④**

3장의 수 카드를 한 번씩만 사용하여 세 자리 수를 만들었습니다. /
만든 수 중 가장 큰 수와 / 가장 작은 수의 합을 구하세요.

😊 **구하려는 것은?**

만든 수 중 가장 큰 수와 가장 작은 수의 □

😊 **어떻게 풀까?**

**1** 가장 큰 수는 **백의 자리부터 큰 수를** 차례로 놓아 만들고,

**2** 0이 있을 때의 가장 작은 수는 (둘째로 작은 수) ➔ **0** ➔ (남은 수)의 순서로 놓아 만들어

**3** 위 **1**과 **2**에서 만든 두 수의 합을 구하자.

😊 **해결해 볼까?**

**❶ 만든 수 중 가장 큰 수는?**

[전략] 백의 자리부터 큰 수를 차례로 놓자.

답

**❷ 만든 수 중 가장 작은 수는?**

[전략] 백의 자리에 0 대신 둘째로 작은 수를 놓자.

답

**❸ 만든 수 중 가장 큰 수와 가장 작은 수의 합은?**

[전략] ❶과 ❷에서 만든 두 수를 더하자.

답

**덧셈과 뺄셈**

**15**

**쌍둥이 문제 4-1**

3장의 수 카드를 한 번씩만 사용하여 세 자리 수를 만들었습니다. /
만든 수 중 가장 큰 수와 / 가장 작은 수의 차를 구하세요.

😊 **대표 문제 따라 풀기**

❶

❷

❸

답 _____

# { 수학 사고력 키우기 }

## 😊 ■에 알맞은 가장 큰(작은) 수 구하기

🔵 연계학습 010쪽

**대표 문제 5** ■에 알맞은 자연수 중에서/ 가장 작은 수를 구하세요.

$$262 + ■ > 530$$

😊 **구하려는 것은?**

■에 알맞은 자연수 중에서 가장 [ ] 수

😊 **어떻게 풀까?**

1 >를 =로 바꿔 ■를 구한 다음,

2 262+■가 530보다 커야 하므로 실제 ■의 범위를 알아보고,

3 이 중 가장 작은 수를 구하자.

😊 **해결해 볼까?**

❶ 262+■=530에서 ■의 값은?

(전략) 덧셈과 뺄셈의 관계를 이용하자.        답 _____

❷ 문제에 주어진 식을 수 하나로 간단히 나타내면?

(전략) 262+■는 530보다 커야 하므로        식 _____
실제로 ■는 ❶에서 구한 수보다 크다.

❸ ■에 알맞은 자연수 중에서 가장 작은 수는?

(전략) ❷에서 나타낸 식을 만족하는 가장 작은 수를 구하자.        답 _____

**쌍둥이 문제 5-1**

■에 알맞은 자연수 중에서/ 가장 작은 수를 구하세요.

$$■ + 187 > 343$$

😊 **대표 문제 따라 풀기**

❶

❷

❸

답 _____

## 합(차)이 ■가 되는 두 수 찾기

연계학습 011쪽

**대표 문제 6**

수 카드 384 , 652 , 217 , 465 중에서 두 장을 뽑아 두 수의 차를 구하였더니 167이었습니다. / 뽑은 두 장의 수 카드를 구하세요.

**구하려는 것은?**

차가 ☐ 인 두 장의 수 카드

**어떻게 풀까?**

① 차 **167**의 일의 자리 숫자가 **7**이므로 일의 자리 숫자끼리의 차가 **7**인 두 수끼리 짝 지은 후,

② 짝 지은 두 수의 차를 구해 뽑은 두 장의 수 카드를 찾자.

**해결해 볼까?**

❶ 일의 자리 숫자끼리의 차가 7인 두 수끼리 짝 지으면?

[전략] 차 167의 일의 자리 숫자가 7이므로 받아내림을 생각하며 일의 자리 숫자끼리의 차가 7인 두 수를 찾자.

답 ( 384 , ☐ ), ( ☐ , ☐ )

❷ 위 ❶에서 짝 지은 두 수끼리의 차를 구하면?

[예상 1] $384 - \boxed{\phantom{000}} = \boxed{\phantom{000}}$   [예상 2] $\boxed{\phantom{000}} - \boxed{\phantom{000}} = \boxed{\phantom{000}}$

❸ 뽑은 두 장의 수 카드는?

[전략] 위 ❷에서 차가 167인 두 수를 찾자.

답 _____

**덧셈과 뺄셈**

17

**쌍둥이 문제 6-1**

수 카드 762 , 835 , 601 , 518 중에서 두 장을 뽑아 두 수의 차를 구하였더니 234였습니다. / 뽑은 두 장의 수 카드를 구하세요.

**대표 문제 따라 풀기**

❶

❷

❸

답 _____

# { 수학 독해력 완성하기 }

## 바르게 계산한 값 구하기

독해 문제
1

어떤 수에 247을 더해야 할 것을/
잘못하여 뺐더니 354가 되었습니다./
바르게 계산한 값을 구하세요.

**구하려는 것은?** 바르게 계산한 값 ➡ 어떤 수에 247을 ( 더한 , 뺀 ) 값

**주어진 것은?** 잘못된 계산 ➡ 어떤 수에서 247을 뺀 값: ☐

**어떻게 풀까?**
1 어떤 수를 ☐라 하여 잘못 계산한 식을 세운 후,
2 덧셈과 뺄셈의 관계를 이용하여 ☐를 구하고,
3 구한 ☐에 247을 더해 바르게 계산한 값을 구하자.

**해결해 볼까?**

❶ 어떤 수를 ☐라 하여 잘못 계산한 식을 세우면?

식

❷ 위 ❶에서 세운 식에서 어떤 수를 구하면?

답

❸ 위 ❷에서 구한 어떤 수로 바르게 계산한 값을 구하면?
[전략] 어떤 수에 247을 더하자.

답

## 처음 수 구하기

독해 문제 **2**

기차가 서울역을 출발하여 천안역에 도착하였습니다. /
천안역에서 175명이 내리고 다시 259명이 탔더니 /
지금 기차에 타고 있는 사람이 614명입니다. /
서울역을 출발할 때 기차에 타고 있던 사람은 몇 명이었나요?

😊 **구하려는 것은?** 서울역을 출발할 때 기차에 타고 있던 사람 수
➔ **천안역에서 내리기 전 사람 수**

🐻 **주어진 것은?**
• 천안역에서 내린 사람 수: ⬜명, 천안역에서 탄 사람 수: ⬜명
• 지금 기차에 타고 있는 사람 수: ⬜명

😊 **어떻게 풀까?**
1️⃣ 지금 기차에 타고 있는 사람 수부터 거꾸로 생각하여 천안역에서 타기 전 사람 수를 구한 후,
2️⃣ 천안역에서 내리기 전 사람 수를 차례로 구하자.

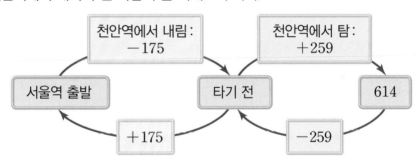

🐻 **해결해 볼까?**

❶ 천안역에서 타기 전 기차에 남아 있는 사람은 몇 명?

 (지금 기차에 타고 있는 사람 수)−(천안역에서 탄 사람 수)

답 _____

❷ 서울역을 출발할 때 기차에 타고 있던 사람은 몇 명?

전략 천안역에서 내리기 전 사람 수를 구하자.

답 _____

**1**

덧셈과 뺄셈

19

## { 수학 독해력 완성하기 }

☺ **차가 ■에 가장 가까운 뺄셈식 만들기**

**독해 문제 3**

두 수를 골라 차가 200에 가장 가까운 뺄셈식을 만드세요.

| 395 | 114 | 534 | 586 |

🐻 **구하려는 것은?** 차가 [ ]에 가장 가까운 뺄셈식

🐷 **주어진 것은?** 네 개의 수 : 395, 114, [ ], 586

😊 **어떻게 풀까?** 
**1** **각 수가 몇백에 더 가까운지 어림**한 다음,
**2** 어림한 수끼리의 차가 200에 가장 가까운 두 수를 찾자.

😊 **해결해 볼까?**

**❶** 각 수가 몇백에 더 가까운지 어림하면?

395 ➔ [ 400 ], 114 ➔ [ ], 534 ➔ [ ], 586 ➔ [ 600 ]

**❷** 위 ❶에서 어림한 수를 이용하여 차가 200에 가장 가까운 두 수를 예상하면?

답 ▶ _____

**❸** 위 ❷에서 예상한 두 수의 뺄셈식을 쓰면?

식 ▶ _____

## ■에 알맞은 가장 큰(작은) 수 구하기

⊙ 연계학습 016쪽

**독해 문제 4**

■에 알맞은 자연수 중에서 / 가장 큰 수를 구하세요.

$$780 - ■ > 584$$

😊 **구하려는 것은?**　■에 알맞은 자연수 중에서 가장 ( 작은 , 큰 ) 수

🐻 **주어진 것은?**　$780 - ■ > 584$

😊 **어떻게 풀까?**
　❶ >를 =로 바꿔 ■를 구한 다음,
　❷ $780 - ■$가 584보다 커야 하므로 실제 ■의 범위를 알아보고,
　❸ 이 중 가장 큰 수를 구하자.

😊 **해결해 볼까?** ⋯⋯⋯⋯⋯⋯⋯⋯⋯⋯⋯⋯⋯⋯⋯⋯⋯⋯⋯⋯⋯⋯⋯⋯⋯

❶ >를 =로 바꿔 ■의 값을 구하면?

　답 ＿＿＿＿＿＿＿＿＿

❷ $780 - ■ > 584$를 만족하려면 ■는 ❶에서 구한 수보다 ( 작아야 , 커야 )
한다.
　전략 빼는 수가 작을수록 계산 결과는 커진다.

❸ 문제에 주어진 식을 수 하나로 간단히 나타내면?
　전략 ❷에서 답한 문장에 알맞게 식으로 나타내자.
　식 ＿＿＿＿＿＿＿＿＿

❹ ■에 알맞은 자연수 중에서 가장 큰 수는?

　답 ＿＿＿＿＿＿＿＿＿

**덧셈과 뺄셈**

**21**

## { 창의·융합·코딩 체험하기 }

 관광객 266명을 태운 배가 우도에 도착한 후/
이 배를 타고 갔던 178명을 다시 태우고 돌아왔습니다./
배를 타고 갔던 관광객 중 우도에 남아 있는 사람은 몇 명인가요?

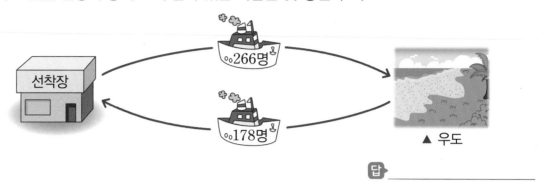

▲ 우도

답

 입력한 값의 크기에 따라 계산을 달리하는 순서도입니다./ 물음에 답하세요.

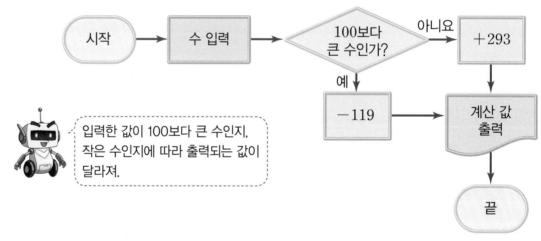

입력한 값이 100보다 큰 수인지,
작은 수인지에 따라 출력되는 값이
달라져.

(1) 263을 입력했을 때/ 출력되는 값을 구하세요.

답

(2) 85를 입력했을 때/ 출력되는 값을 구하세요.

답

창의 3

수가 쓰여 있는 풍선 과녁이 있습니다./
화살을 두 번 던져 맞힌 두 풍선에 쓰여 있는 두 수의 합을 점수로 얻는다면/
얻을 수 있는 가장 큰 점수는 몇 점인가요?

답 _____

창의 4

누른 단추 색깔에 따라 다음과 같이 펭귄이 한 칸씩 이동합니다./
현재 위치에서 시작하여  는 656번,/ ⬤ 는 491번 눌렀다면/
펭귄은 어느 방향으로 몇 칸 이동해 있을까요?

⬤ : 한 번 누를 때마다 ㉠ 방향으로 한 칸씩 이동

⬤ : 한 번 누를 때마다 ㉡ 방향으로 한 칸씩 이동

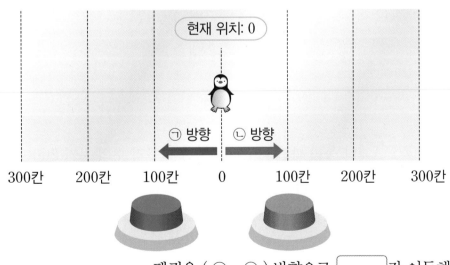

현재 위치: 0

㉠ 방향 ← | → ㉡ 방향

300칸  200칸  100칸  0  100칸  200칸  300칸

답 펭귄은 ( ㉠ , ㉡ ) 방향으로 [　　] 칸 이동해 있다.

덧셈과 뺄셈

23

# 4 STEP { 창의·융합·코딩 체험하기 }

**코딩 5** 키보드에서 다음과 같은 단추를 한 번씩 누를 때마다 너구리의 수가 변하는 프로그램입니다. 현재 화면에 있는 너구리 수를 보고 물음에 답하세요.

**A** : 파란 너구리가 1마리씩 늘어납니다.

**D** : 빨간 너구리가 1마리씩 줄어듭니다.

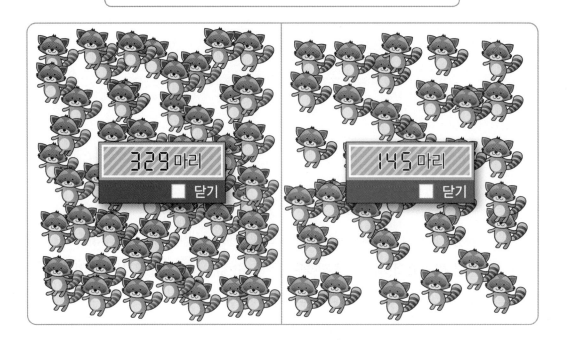

329마리 □ 닫기

145마리 □ 닫기

(1) 현재 화면에 있는 파란 너구리와 빨간 너구리 수의 차는 몇 마리인가요?

답

(2) **A** 만 눌러 파란 너구리와 빨간 너구리 수의 차가 200마리가 되게 하려고 합니다. 몇 번 누르면 되나요?

답

덧셈과 뺄셈

1

**6** 천재식물원은 식물 보호를 위해 하루에 900명까지만 입장할 수 있습니다./
오늘 오후에 어른 219명, 어린이 237명이 입장했고,/
입장하지 못한 사람이 185명이었습니다./
오전에 입장한 사람은 몇 명인가요?

입장하지 못한 사람이 있다는 건 오후까지 입장한 사람이 모두 900명이라는 뜻이야.

답 _____

 **7** 고장 난 계산기로 계산했더니 다음과 같은 결과가 나왔습니다./
이 계산기로 아래 계산기에 입력된 식을 각각 계산하면 어떤 계산 결과가 나오는지 구하세요.

┌─[ 고장 난 계산기로 계산한 결과 ]─┐
│                                    │
│   $428+119=309$      $304+266=38$  │
│                                    │
│   $804-257=1061$    $623-129=752$  │
│                                    │
└────────────────────────────────────┘

고장 난 계산기로 계산했더니 덧셈식의 계산 결과는 작아지고, 뺄셈식의 계산 결과는 커졌어.

524+337

717-125

결과: ☐          결과: ☐

덧셈과 뺄셈

25

**삼각형에 있는 수의 합 구하기**

**1** 삼각형에 있는 수의 합을 구하세요.

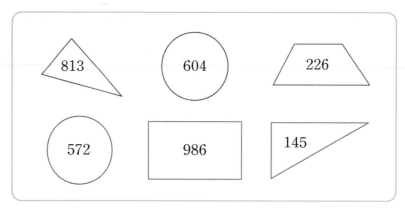

풀이▶

답 _____

**~보다 더 많은(적은) 수 구하기** 012쪽

**2** 빨간 색종이는 543장 있고, 노란 색종이는 빨간 색종이보다 203장 더 적게 있습니다. 빨간 색종이와 노란 색종이는 모두 몇 장 있나요?

풀이▶

답 _____

**어떤 수 구하기** 013쪽

**3** 종이 2장에 세 자리 수를 각각 써 놓았는데 그중 한 장은 뒤집어 놓았습니다. 두 수의 합이 675일 때 뒤집어 놓은 종이에 적힌 세 자리 수를 구하세요.

풀이

답 _____

**거리 구하기** 014쪽

**4** 그림을 보고 나에서 라까지의 거리는 몇 m인지 구하세요.

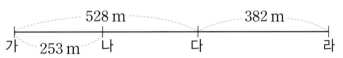

풀이

답 _____

**수 카드로 수 만들기** 015쪽

**5** 3장의 수 카드 $\boxed{0}$, $\boxed{1}$, $\boxed{8}$을 한 번씩만 사용하여 세 자리 수를 만들었습니다. 만든 수 중 가장 큰 수와 가장 작은 수의 차를 구하세요.

풀이

답 _____

**6**

■에 알맞은 가장 큰(작은) 수 구하기 ⟳016쪽

■에 알맞은 자연수 중에서 가장 작은 수를 구하세요.

$$245 + ■ > 437$$

💬풀이

💬답 _____

**7**

합(차)이 ■가 되는 두 수 찾기 ⟳017쪽

수 카드 496 , 664 , 279 , 457 중에서 두 장을 뽑아 두 수의 합을 구하였더니 953이었습니다. 뽑은 두 장의 수 카드를 구하세요.

💬풀이

💬답 _____

**8**

바르게 계산한 값 구하기 ⟳018쪽

어떤 수에서 259를 빼야 할 것을 잘못하여 더했더니 805가 되었습니다. 바르게 계산한 값을 구하세요.

💬풀이

💬답 _____

**처음 수 구하기** 019쪽

**9** 선우는 갖고 있던 용돈과 어머니께서 주신 500원으로 편의점에서 750원짜리 사탕 1개를 샀습니다. 남은 돈이 230원이라면 선우가 처음에 갖고 있던 용돈은 얼마인가요?

풀이

답 _____

**차가 ■에 가장 가까운 뺄셈식 만들기** 020쪽

**10** 두 수를 골라 차가 300에 가장 가까운 뺄셈식을 만드세요.

| 725 | 298 | 318 | 414 |

풀이

식 _____

 차가 300에 가깝다는 건
차가 300을 넘을 수도 있고, 넘지 않을 수도 있다는 거야.

# 2 평면도형

FUN 한 기억 노트

선분은 <u>두 점을 곧게 이은 선</u> 이지.

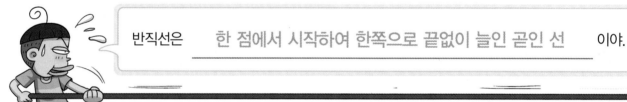

반직선은 <u>한 점에서 시작하여 한쪽으로 끝없이 늘인 곧은 선</u> 이야.

이것도
반직선

직선은 <u>선분을 양쪽으로 끝없이 늘인 곧은 선</u> 이군.

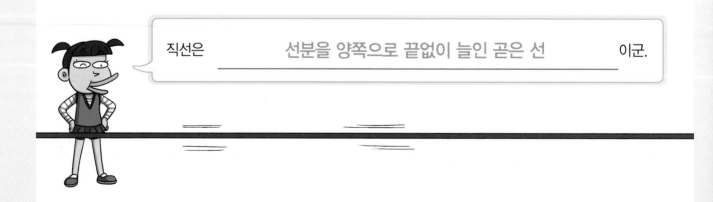

😊 정답 확인 ≫

**여러 가지 평면도형을 알아볼까?**

- 각, 직각은 반직선으로 이루어진 도형이야.
- 직각삼각형, 직사각형은 직각이 있는 도형이야.

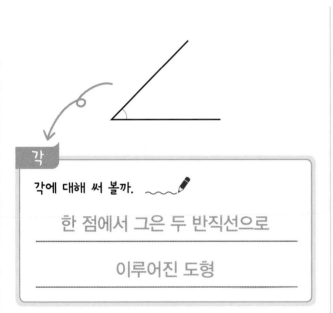

**각**

각에 대해 써 볼까. 🖊

한 점에서 그은 두 반직선으로

이루어진 도형

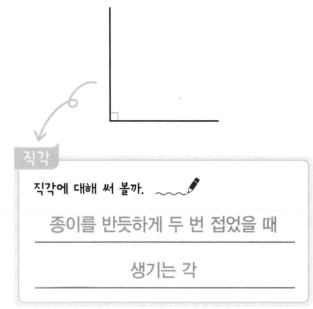

**직각**

직각에 대해 써 볼까. 🖊

종이를 반듯하게 두 번 접었을 때

생기는 각

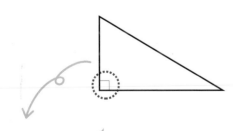

**직각삼각형**

직각삼각형에 대해 써 볼까. 🖊

한 각이 직각인 삼각형

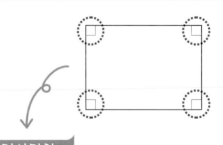

**직사각형**

직사각형에 대해 써 볼까. 🖊

네 각이 모두 직각인 사각형

# { 문제 해결력 기르기 }

## 1 잘라서 생기는 도형의 수 구하기

### 선행 문제 해결 전략

• 점선을 따라 한 번 잘라 생기는 도형 알아보기

> 직각의 수를 세어 잘랐을 때
> 생기는 도형을 알아보자.

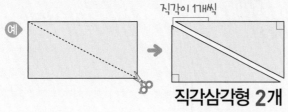

예 → 직각이 1개씩

**직각삼각형 2개**

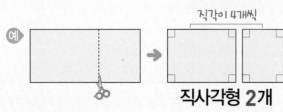

예 → 직각이 4개씩

**직사각형 2개**

### 선행 문제 **1**

직사각형 모양의 종이에 그은 점선을 따라 모두 잘랐을 때 생기는 도형의 수를 구하세요.

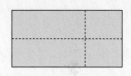

**풀이** 점선을 따라 모두 자르면

→ 직사각형 ☐ 개

### 실행 문제 **1**

색종이에 그은 점선을 따라 모두 잘랐을 때/ 생기는 직사각형과 직각삼각형 수의 차는 몇 개인가요?

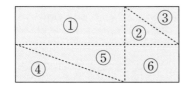

전략 그은 점선으로 생긴 도형에 번호를 매겨 직사각형과 직각삼각형 수를 각각 세어 보자.

❶ 직사각형: ___①,_____ → ☐개

　직각삼각형: ___②, ③,_____ → ☐개

전략 ❶에서 구한 두 수의 차를 구하자.

❷ ☐ - ☐ = ☐ (개)

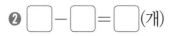

### 쌍둥이 문제 **1-1**

색종이에 그은 점선을 따라 모두 잘랐을 때/ 생기는 직사각형과 직각삼각형 수의 차는 몇 개인가요?

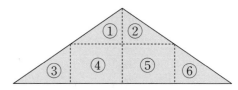

### 실행 문제 따라 풀기

❶

❷

## ② 도형의 특징 알아보기

선행 문제 해결 전략

|  | 직각삼각형 | 직사각형 | 정사각형 |  |
|---|---|---|---|---|
|  |  |  |  |  |
| 변 | 3개 | 4개 | 4개 | 같음. |
| 꼭짓점 | 3개 | 4개 | 4개 | 같음. |
| 직각 | 1개 | 4개 | 4개 | 같음. |
| 변의 길이 | 모두 같지 않음. | 마주 보는 두 변끼리 같음. | 모두 같음. | |

다름.

**선행 문제 ②**

각 도형을 설명하려고 합니다. ☐ 안에 알맞은 말을 써넣으세요.

(1) 직각삼각형: ☐ 각이 직각인 삼각형

(2) 직사각형: ☐ 각이 모두 직각인 사각형

(3) 정사각형:

네 각이 모두 ☐ 이고 ☐ 변의 길이가 모두 같은 사각형

**실행 문제 ②**

직사각형과 정사각형을 보고 다른 점을 쓰세요.

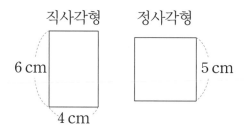

전략 ▷ 직사각형과 정사각형의 각 변의 길이를 알아보자.

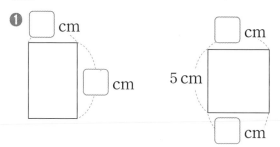

전략 ▷ ❶에서 알아본 각 변의 길이로 다른 점을 써 보자.

다른 점 ▷ _____

_____

**쌍둥이 문제 2-1**

직사각형과 정사각형을 보고 같은 점을 2가지 쓰세요.

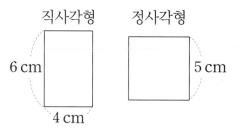

❶ 같은 점 1:

❷ 같은 점 2:

평면도형

{ 문제 **해결력** 기르기 }

③ **직각의 수 구하기**

선행 문제 해결 전략

• 도형에서 찾을 수 있는 직각의 종류 알아보기

**한 각**이 직각인 경우
⑤, ⑥ ➡ 2개

**두 각을 합쳐** 직각인 경우
②＋③ ➡ 1개

한 각이 직각인 경우, 두 각을 합쳐 직각인 경우……로 생각해서 직각을 찾아봐.

선행 문제 ③

도형에서 직각은 모두 몇 개인가요?

(1)
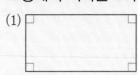

**풀이** 위 도형에서 직각을 찾아 표시하면

직각의 수: ☐개

(2)
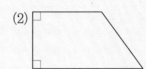

**풀이** 위 도형에서 직각을 찾아 표시하면

직각의 수: ☐개

---

실행 문제 ③

도형에서 찾을 수 있는 직각은 모두 몇 개인가요?

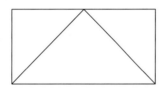

❶ 직각을 모두 찾아 ⌐ 로 표시하기

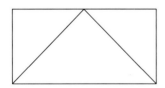

전략 ❶에서 ⌐ 로 표시한 직각의 수를 구하자.

❷ 직각의 수: ☐개

답 _____

쌍둥이 문제 3-1

도형에서 찾을 수 있는 직각은 모두 몇 개인가요?

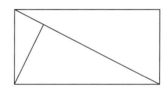

실행 문제 따라 풀기

❶

❷

답 _____

# ④ 한 변의 길이 구하기

## 선행 문제 해결 전략

• 네 변의 길이의 합을 간단한 식으로 나타내기

| 직사각형 | 정사각형 |
|---|---|
| 세로 / 가로 | 한 변 |

(네 변의 길이의 합)
=(가로) + (세로)
+(가로) + (세로)

(네 변의 길이의 합)
=(한 변) + (한 변)
+(한 변) + (한 변)

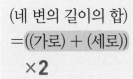

(네 변의 길이의 합)
=((가로) + (세로))
×**2**

(네 변의 길이의 합)
=(한 변)×**4**

## 선행 문제 ④

(1) 네 변의 길이의 합이 18 cm인 직사각형의 가로와 세로의 합은 몇 cm인가요?

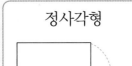

풀이 ((가로)+(세로))×2=☐이고

곱셈구구에서 9×2=☐이므로

➡ (가로)+(세로)=☐ (cm)

(2) 네 변의 길이의 합이 28 cm인 정사각형의 한 변의 길이는 몇 cm인가요?

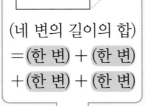

풀이 (한 변)×4=☐이고

곱셈구구에서 7×4=☐이므로

➡ (한 변)=☐ cm

## 실행 문제 ④

네 변의 길이의 합이 14 cm인 직사각형입니다./ ■에 알맞은 수를 구하세요.

5 cm

■ cm

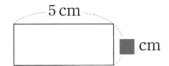

전략 ((가로)+(세로))×2=14이고, 7×2=14임을 이용하여 (가로)+(세로)를 구하자.

❶ (☐+■)×2=14,
   └→ (가로)+(세로)

☐+■=☐

❷ ■=☐−☐=☐

답 _____

## 쌍둥이 문제 4-1

네 변의 길이의 합이 18 cm인 직사각형입니다./ ■에 알맞은 수를 구하세요.

7 cm

■ cm

실행 문제 따라 풀기

❶

❷

답 _____

# { 문제 해결력 기르기 }

## ⑤ 크고 작은 도형의 수 구하기

### 선행 문제 해결 전략

**예** 크고 작은 직사각형 찾기

크고 작은 도형의 수를 셀 때에는 **작은 도형 1칸짜리, 2칸짜리……로 구분**하여 찾아보자.

① 작은 도형 1칸짜리

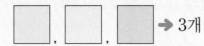 → 3개

② 작은 도형 2칸짜리

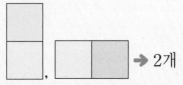 → 2개

**주의** 작은 도형 여러 칸으로 이루어진 도형도 빠트리지 말고 세어야 한다.

### 선행 문제 ⑤

도형에서 찾을 수 있는 크고 작은 직사각형을 모두 찾아보세요.

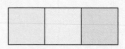

(1) 작은 도형 1칸짜리 직사각형은 몇 개?

**풀이** 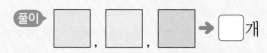 → ☐ 개

(2) 작은 도형 2칸짜리 직사각형은 몇 개?

**풀이**  → ☐ 개

(3) 작은 도형 3칸짜리 직사각형은 몇 개?

**풀이** [  |  |  ] → ☐ 개

### 실행 문제 ⑤

도형에서 찾을 수 있는/
크고 작은 직사각형은 모두 몇 개인가요?

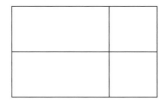

**전략** 작은 직사각형 1칸, 2칸, 4칸으로 이루어진 직사각형의 수를 세어 보자.

❶ 1칸짜리: ☐ 개, 2칸짜리: ☐ 개,

4칸짜리: ☐ 개

❷ 크고 작은 직사각형의 수: ☐ 개

**답** _____

### 쌍둥이 문제 5-1

도형에서 찾을 수 있는/
크고 작은 직사각형은 모두 몇 개인가요?

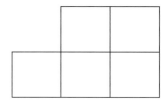

**실행 문제 따라 풀기**

❶

❷

**답** _____

# 6 굵은 선의 길이 구하기

## 선행 문제 해결 전략

• 변의 길이의 합이 같도록 도형을 단순하게 만들기

같은 색끼리 길이가 같아.

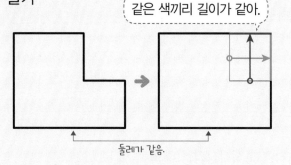

둘레가 같음.

길이가 같은 변을 옮겨 직사각형을 만들면

(처음 도형의 모든 변의 길이의 합)
=(만든 직사각형의 네 변의 길이의 합)

## 선행 문제 6

성냥개비 2개를 옮겨 직사각형을 만드세요.

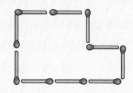

풀이 ▶ 직사각형은 마주 보는 두 변의 길이가 같으므로 마주 보는 곳으로 성냥개비를 각각 옮긴다.

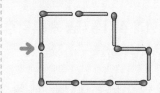

## 실행 문제 6

정사각형 2개를 겹치지 않게 붙여 만든 도형입니다./ 도형을 둘러싼 굵은 선의 길이는 몇 cm인가요?

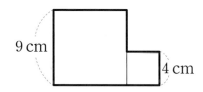

전략 ▷ 변을 옮겨 직사각형을 만들고, 만든 직사각형의 가로와 세로의 길이를 구하자.

❶
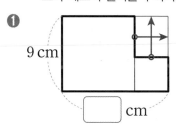

전략 ▷ ❶에서 만든 직사각형의 네 변의 길이의 합을 구하자.

❷ (굵은 선의 길이)
= 9 + ☐ + 9 + ☐ = ☐ (cm)

답 _____

## 쌍둥이 문제 6-1

정사각형 2개를 겹치지 않게 붙여 만든 도형입니다./ 도형을 둘러싼 굵은 선의 길이는 몇 cm인가요?

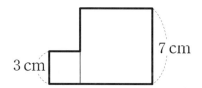

실행 문제 따라 풀기

❶



❷

답 _____

# 수학 사고력 키우기

## 잘라서 생기는 도형의 수 구하기

연계학습 032쪽

**대표 문제 ①**

직사각형 모양의 종이에 그은 점선을 따라 모두 잘랐을 때/
생기는 직사각형과 직각삼각형 수의 차를 구하세요.

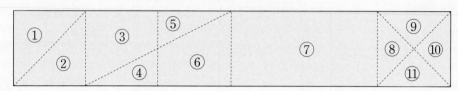

**구하려는 것은?**

점선을 따라 모두 잘랐을 때 생기는 직사각형과 직각삼각형 수의 ☐

**어떻게 풀까?**

1 직사각형과 직각삼각형 수를 각각 구한 다음,
2 구한 두 수의 차를 구하자.

**해결해 볼까?**

❶ 점선을 따라 모두 잘랐을 때 생기는 직사각형과 직각삼각형은 각각 몇 개?

전략 › 잘랐을 때 생기는 도형에서 직각이 4개인 사각형과 직각이 1개인 삼각형의 수를 각각 구하자.

**답** 직사각형: _____ , 직각삼각형: _____

❷ 위 ❶에서 구한 두 수의 차는 몇 개?

전략 › (많이 생긴 도형의 수)－(적게 생긴 도형의 수)

**답** _____

2 평면도형

**쌍둥이 문제 1-1**

오른쪽 직사각형 모양의 종이에 그은 점선을 따라 모두 잘랐을 때/
생기는 직사각형과 직각삼각형 수의 차는 몇 개인가요?

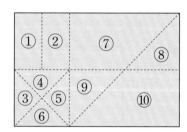

**대표 문제 따라 풀기**

❶

❷

**답** _____

# 도형의 특징 알아보기

연계학습 033쪽

**대표 문제 2**

다음 조건을 모두 만족하는 도형의 이름을 쓰세요.

> [조건 1]  4개의 선분으로 둘러싸여 있습니다.
> [조건 2]  네 각이 모두 직각입니다.
> [조건 3]  네 변의 길이가 모두 같습니다.

**구하려는 것은?**

조건을 모두 만족하는 도형의 □

**어떻게 풀까?**

[조건 1]부터 차례로 만족하는 도형을 알아보자.

**해결해 볼까?**

❶ [조건 1]을 만족하는 도형은?

전략 ▷ 4개의 선분으로 둘러싸인 도형을 찾자.

답 _____

❷ 위 ❶에서 구한 도형 중 [조건 2]를 만족하는 도형은?

전략 ▷ ❶에서 구한 도형 중 네 각이 모두 직각인 도형을 찾자.

답 _____

❸ 위 ❷에서 구한 도형 중 [조건 3]을 만족하는 도형은?

전략 ▷ ❷에서 구한 도형 중 네 변의 길이가 모두 같은 도형을 찾자.

답 _____

**쌍둥이 문제**

**2-1**

다음 조건을 모두 만족하는 도형의 이름을 쓰세요.

> [조건 1]  변과 꼭짓점이 각각 3개씩 있습니다.
> [조건 2]  직각이 1개 있습니다.

**대표 문제 따라 풀기**

❶


❷


답 _____

평면도형

2

39

### 직각의 수 구하기

연계학습 034쪽

**대표 문제 3** 직각의 수가 더 많은 것의 기호를 쓰세요.

가

나

🙂 **구하려는 것은?**

[    ]의 수가 더 많은 것

🐻 **어떻게 풀까?**

① 가와 나에서 찾을 수 있는 직각의 수를 각각 구한 후,

② 직각이 더 많은 것의 기호를 쓰자.

🙂 **해결해 볼까?**

❶ 가와 나에서 찾을 수 있는 직각은 각각 몇 개?

[전략] 한 각이 직각이 되는 각과 두 각을 합쳐 직각이 되는 각을 모두 찾자.

답 가: _____, 나: _____

❷ 직각의 수가 더 많은 것의 기호는?

[전략] ❶에서 구한 직각의 수를 비교하자.

답 _____

2 평면도형

**쌍둥이 문제 3-1** 직각의 수가 더 많은 것의 기호를 쓰세요.

가

나

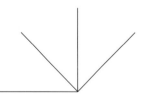

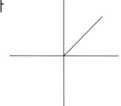

🙂 **대표 문제 따라 풀기**

❶

❷

답 _____

## 한 변의 길이 구하기

연계학습 035쪽

**대표 문제 4**

정사각형과 직사각형의 네 변의 길이의 합은 같습니다./
☐ 안에 알맞은 수를 구하세요.

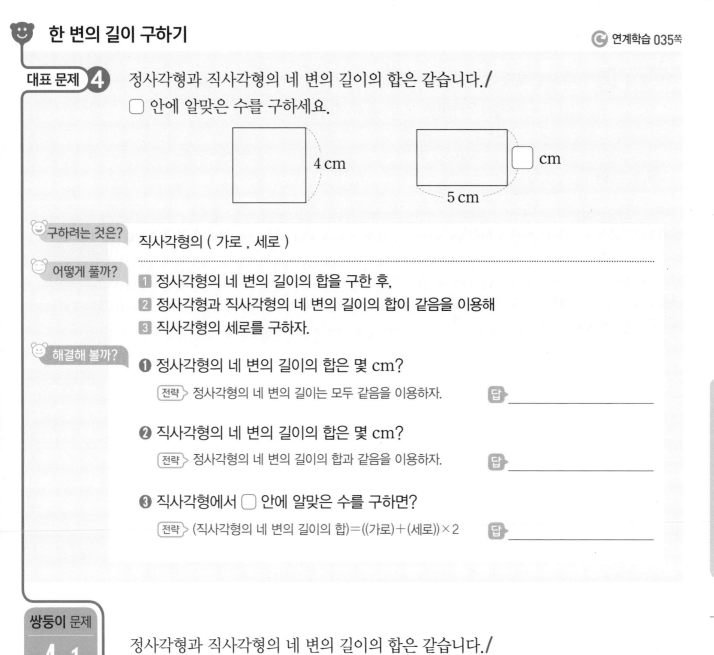

4 cm

☐ cm

5 cm

**구하려는 것은?**

직사각형의 ( 가로 , 세로 )

**어떻게 풀까?**

1 정사각형의 네 변의 길이의 합을 구한 후,

2 정사각형과 직사각형의 네 변의 길이의 합이 같음을 이용해

3 직사각형의 세로를 구하자.

**해결해 볼까?**

❶ 정사각형의 네 변의 길이의 합은 몇 cm?

전략 정사각형의 네 변의 길이는 모두 같음을 이용하자.   답 _____

❷ 직사각형의 네 변의 길이의 합은 몇 cm?

전략 정사각형의 네 변의 길이의 합과 같음을 이용하자.   답 _____

❸ 직사각형에서 ☐ 안에 알맞은 수를 구하면?

전략 (직사각형의 네 변의 길이의 합)=((가로)+(세로))×2   답 _____

2

평면도형

41

**쌍둥이 문제 4-1**

정사각형과 직사각형의 네 변의 길이의 합은 같습니다./
☐ 안에 알맞은 수를 구하세요.

3 cm

1 cm

☐ cm

**대표 문제 따라 풀기**

❶

❷

❸

답 _____

## 2 STEP { 수학 사고력 키우기 }

😊 **크고 작은 도형의 수 구하기**

⊙ 연계학습 036쪽

**대표 문제 5** 오른쪽 도형에서 찾을 수 있는/
크고 작은 직각삼각형은 모두 몇 개인가요?

😊 **구하려는 것은?**

크고 작은 [          ]의 수

😊 **어떻게 풀까?**

1 작은 직각삼각형 1칸짜리로 이루어진 직각삼각형 (△)의 수와 작은 직각삼각형 2칸
짜리로 이루어진 직각삼각형 (◁)의 수를 각각 구한 후,

2 구한 두 수의 합을 구하자.

😊 **해결해 볼까?**

❶ 작은 직각삼각형 1칸짜리로 이루어진 직각삼각형은 모두 몇 개?

[전략] △ 와 같은 모양의 수를 세어 보자.　　　답 _____

❷ 작은 직각삼각형 2칸짜리로 이루어진 직각삼각형은 모두 몇 개?

[전략] ◁ 와 같은 모양의 수를 세어 보자.　　　답 _____

❸ 도형에서 찾을 수 있는 크고 작은 직각삼각형은 모두 몇 개?

[전략] ❶과 ❷에서 찾은 두 수를 더하자.　　　답 _____

2 평면도형

42

**쌍둥이 문제 5-1** 오른쪽 도형에서 찾을 수 있는/
크고 작은 직각삼각형은 모두 몇 개인가요?

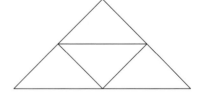

😊 **대표 문제 따라 풀기**

❶

❷

❸

답 _____

## 굵은 선의 길이 구하기

ⓒ 연계학습 037쪽

**대표 문제 6** 오른쪽은 정사각형 2개를 겹치지 않게 붙여 만든 도형입니다. /
도형을 둘러싼 굵은 선의 길이는 몇 cm인가요?

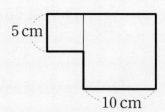

**구하려는 것은?**

도형을 둘러싼 굵은 선의 ☐

**어떻게 풀까?**

1. 변을 옮겨 직사각형을 만들고, 만든 직사각형의 가로와 세로의 길이를 구한 후,
2. 변을 옮겨 만든 직사각형의 네 변의 길이의 합이 굵은 선의 길이와 같음을 이용해 굵은 선의 길이를 구하자.

**해결해 볼까?**

❶ ☐ 안에 알맞은 수를 써넣으면? [전략] 변을 옮겨 만든 직사각형의 가로와 세로의 길이를 구하자.

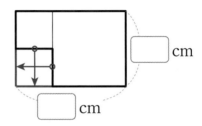

❷ 도형을 둘러싼 굵은 선의 길이는 몇 cm?

[전략] ❶에서 변을 옮겨 만든 직사각형의 네 변의 길이의 합을 구하자.

답 _____

**쌍둥이 문제 6-1**

오른쪽은 정사각형 2개를 겹치지 않게 붙여 만든 도형입니다. /
도형을 둘러싼 굵은 선의 길이는 몇 cm인가요?

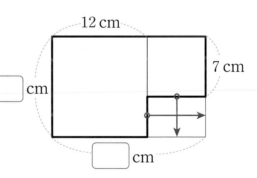

**대표 문제 따라 풀기**

❶

❷

답 _____

## { 수학 독해력 완성하기 }

☺ **한 변의 길이 구하기**

● 연계학습 041쪽

독해 문제
**1**

직사각형과 정사각형의 네 변의 길이의 합은 같습니다. /
정사각형의 한 변의 길이는 몇 cm인가요?

7 cm

5 cm

😊 **구하려는 것은?** [          ]의 한 변의 길이

🐻 **주어진 것은?**
- 네 변의 길이의 합이 ( 같은 , 다른 ) 직사각형과 정사각형
- 직사각형의 가로: [  ] cm, 직사각형의 세로: [  ] cm

😊 **어떻게 풀까?**
**1** 직사각형의 네 변의 길이의 합을 구한 다음,
**2** 직사각형과 정사각형의 네 변의 길이의 합이 같음을 이용하여
**3** 정사각형의 한 변의 길이를 구하자.

😊 **해결해 볼까?**

**❶** 직사각형의 네 변의 길이의 합은 몇 cm?

답 _____

**❷** 정사각형의 네 변의 길이의 합은 몇 cm?

답 _____

**❸** 정사각형의 한 변의 길이는 몇 cm?

전략 (정사각형의 네 변의 길이의 합)=(한 변)×4이므로 곱셈구구를 이용해 한 변의
길이를 구하자.

답 _____

### 🙂 네 변의 길이의 합 구하기

**독해 문제 2**

정사각형 3개를 겹치지 않게 붙여 만든 직사각형입니다. /
만든 직사각형의 네 변의 길이의 합은 몇 cm인가요?

⌒ 10 cm

😊 **구하려는 것은?** 만든 직사각형의 네 변의 길이의 ☐

🐻 **주어진 것은?**
• 큰 정사각형의 한 변에 크기가 같은 작은 정사각형 ☐ 개를 붙여 만든 직사각형
• 큰 정사각형의 한 변의 길이: ☐ cm

😊 **어떻게 풀까?**
**1** 작은 정사각형의 한 변의 길이를 큰 정사각형의 한 변의 길이를 이용해 구하고,
**2** 만든 직사각형의 가로를 구해
**3** 만든 직사각형의 네 변의 길이의 합을 구하자.

😊 **해결해 볼까?**

**❶** 작은 정사각형의 한 변의 길이는 몇 cm?

전략> 작은 정사각형 2개가 서로 한 변이 만나고 있으므로 크기가 같음을 이용하자.

답 _____

**❷** 만든 직사각형의 가로는 몇 cm?

답 _____

**❸** 만든 직사각형의 네 변의 길이의 합은 몇 cm?

전략> 만든 직사각형의 세로는 큰 정사각형의
한 변이다.

답 _____

2

평면도형

45

## { 수학 독해력 완성하기 }

😊 **굵은 선의 길이 구하기**

🄲 연계학습 043쪽

**독해 문제 3**

직사각형 2개를 겹치지 않게 붙여 만든 도형입니다. /
도형을 둘러싼 굵은 선의 길이는 몇 cm인가요?

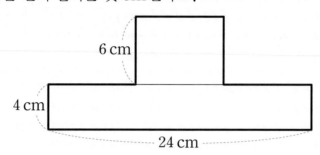

😊 **구하려는 것은?**    도형을 둘러싼 굵은 선의 [   ]

🐻 **주어진 것은?**
- 직사각형 [   ]개를 붙여 만든 도형
- 도형의 주어진 변의 길이: 6 cm, [   ] cm, 24 cm

😊 **어떻게 풀까?**
① 변을 옮겨 직사각형을 만들고, 만든 직사각형의 가로와 세로의 길이를 알아본 후,
② 변을 옮겨 만든 직사각형의 네 변의 길이의 합이 굵은 선의 길이와 같음을 이용해 굵은 선의 길이를 구하자.

😊 **해결해 볼까?**

❶ 변을 옮겨 만든 직사각형에서 ▢ 안에 알맞은 수를 써넣으면?

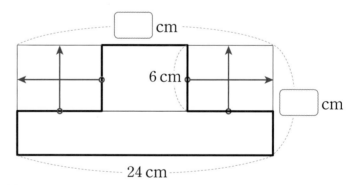

❷ 도형을 둘러싼 굵은 선의 길이는 몇 cm?

답

2 평면도형

## 정사각형의 네 변의 길이의 합 구하기

독해 문제
4

크기가 다른 정사각형 3개를 겹치지 않게 붙여 만든 것입니다. /
정사각형 ㅁㅅㅇㅂ의 네 변의 길이의 합을 구하세요.

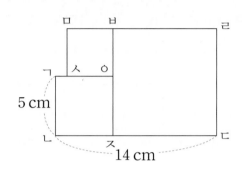

5 cm

14 cm

😊 **구하려는 것은?** 가장 ( 작은 , 큰 ) 정사각형의 네 변의 길이의 합

😊 **주어진 것은?** • 크기가 다른 정사각형 3개

• 선분 ㄱㄴ의 길이: ☐ cm, 선분 ㄴㄷ의 길이: ☐ cm

😊 **어떻게 풀까?** 🔟 정사각형은 네 변의 길이가 모두 같다는 것과 선분의 길이의 차를 이용하여 가
장 큰 정사각형의 한 변인 선분 ㅂㅈ의 길이와 가장 작은 정사각형의 한 변인
선분 ㅂㅇ의 길이를 구한 후,
🔢 가장 작은 정사각형 ㅁㅅㅇㅂ의 네 변의 길이의 합을 구하자.

😊 **해결해 볼까?**

❶ 선분 ㅂㅈ의 길이는 몇 cm?

전략 (선분 ㄴㅈ)=(선분 ㄱㄴ)이고 (선분 ㅂㅈ)=(선분 ㅈㄷ)임을 이용하자.

답

❷ 선분 ㅂㅇ의 길이는 몇 cm?

답

❸ 정사각형 ㅁㅅㅇㅂ의 네 변의 길이의 합은 몇 cm?

전략 (정사각형의 네 변의 길이의 합)=(한 변)×4

답

평면도형

2

47

## { 창의·융합·코딩 **체험**하기 }

창의 **1** 〔보기〕의 모양 조각을 사용하여 만든 모양입니다./

이 모양을 만드는 데/ 정사각형 모양 조각을 8개 사용했다면/

직각삼각형 모양 조각은 몇 개 사용했나요?

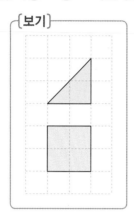

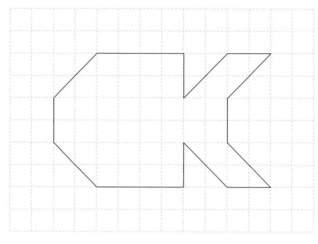

답 _____

창의 **2** 〔보기〕의 모양 조각을 사용하여/ 색칠된 부분을 겹치지 않게 덮어 보고,/

조각을 각각 몇 개 사용했는지 쓰세요.

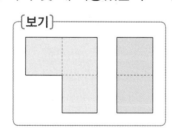

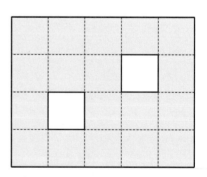

답 [ ] : _____ , [ ] : _____

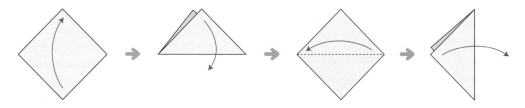 창의 **3** 다음과 같이 색종이를 2번 접었다 펼쳤습니다. /

색종이를 펼쳤을 때/ 나타나는 접은 선을 그려 보고,/
접은 선을 포함하여/ 색종이에서 찾을 수 있는 직각은 몇 개인지 구하세요.

접은 선 그리기

답 _____

 창의 **4** 주사위가 다음과 같이 쌓여 있습니다. /
파란색 주사위를 포함하는/ 크고 작은 직사각형은 모두 몇 개인가요?

 파란색 주사위를 포함해서 주사위 1개
짜리, 2개짜리, 3개짜리……로 이루어
진 직사각형을 알아봐.

답 _____

# STEP 4 { 창의·융합·코딩 체험하기 }

[코딩 5~6] 블록 명령어에 따라 토끼가 지나온 길은 초록색 선으로 표시됩니다. 초록색 선을 보고 어떤 블록 명령어를 사용했는지 ☐ 안에 알맞은 수를 써넣으세요.

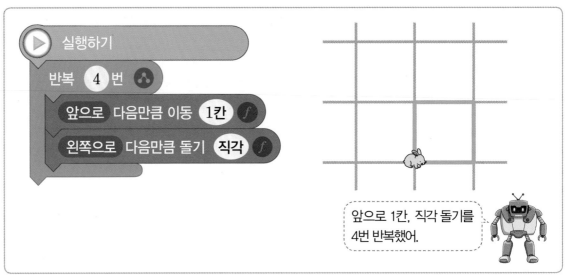

실행하기
반복 4 번
앞으로 다음만큼 이동 1칸
왼쪽으로 다음만큼 돌기 직각

앞으로 1칸, 직각 돌기를 4번 반복했어.

**코딩 5**

실행하기
반복 ☐ 번
앞으로 다음만큼 이동 ☐ 칸
왼쪽으로 다음만큼 돌기 직각

**코딩 6**

실행하기
반복 ☐ 번
앞으로 다음만큼 이동 ☐ 칸
왼쪽으로 다음만큼 돌기 직각
앞으로 다음만큼 이동 ☐ 칸
왼쪽으로 다음만큼 돌기 직각

[코딩 7~8] 거북이 실행 명령어를 통해/ 거북이가 지나가는 길을 그리려고 합니다./
기호에 따른 명령어를 살펴보고/ 거북이가 지나가는 길을 그리세요.

〔명령어〕

⬤ : 정해진 수만큼 앞으로 이동

▲ : 오른쪽으로 직각만큼 돌기

⬛ : 정해진 수만큼 반복

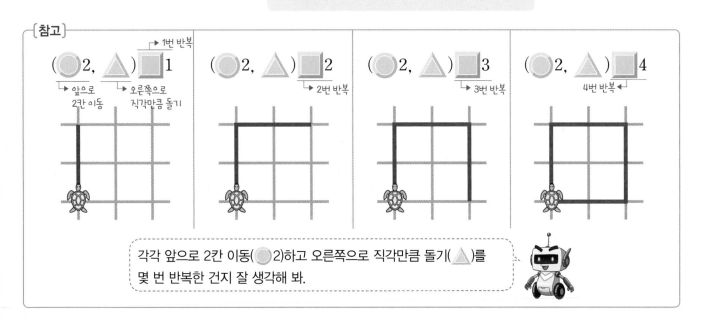

〔참고〕

(⬤2, ▲) ⬛1  →1번 반복
→앞으로 2칸 이동  →오른쪽으로 직각만큼 돌기

(⬤2, ▲) ⬛2  →2번 반복

(⬤2, ▲) ⬛3  →3번 반복

(⬤2, ▲) ⬛4  4번 반복←

각각 앞으로 2칸 이동(⬤2)하고 오른쪽으로 직각만큼 돌기(▲)를
몇 번 반복한 건지 잘 생각해 봐.

코딩 7  (⬤3, ▲) ⬛2

코딩 8  (⬤4, ▲) ⬛3

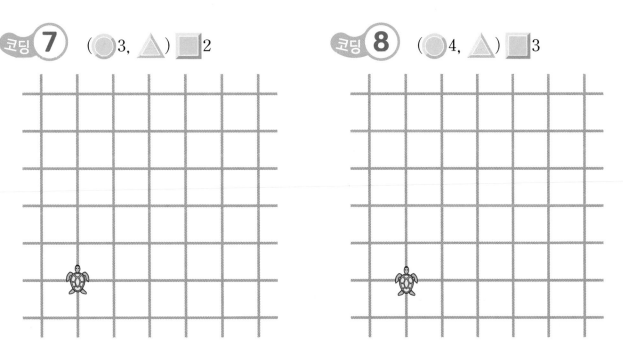

**한 변의 길이 구하기** 035쪽

**1** 네 변의 길이의 합이 16 cm인 직사각형이 있습니다. 짧은 변의 길이가 2 cm라면 긴 변의 길이는 몇 cm인가요?

풀이▶

답 _____

**직사각형의 네 변의 길이의 합 구하기**

**2** 크기가 같은 정사각형 3개를 겹치지 않게 붙여 만든 직사각형입니다. 만든 직사각형의 네 변의 길이의 합은 몇 cm인가요?

풀이▶

답 _____

평면도형

**선분의 길이 구하기**

**3** 정사각형과 직사각형을 겹치지 않게 붙여 만든 도형입니다. 선분 ㅅㅂ의 길이는 몇 cm인가요?

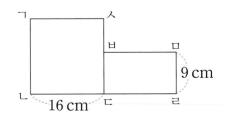

풀이▶

답 _____

**잘라서 생기는 도형의 수 구하기** 038쪽

**4** 오른쪽 직사각형 모양의 종이에 그은 점선을 따라 모두 잘랐
을 때 생기는 직각삼각형과 직사각형 수의 차는 몇 개인가요?

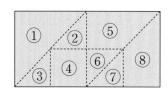

풀이

답 _____

**도형의 특징 알아보기** 039쪽

**5** 다음 조건을 모두 만족하는 도형의 이름을 쓰세요.

> [조건 1] 변과 꼭짓점이 각각 4개씩 있습니다.
> [조건 2] 직각이 4개 있습니다.
> [조건 3] 변의 길이가 모두 같습니다.

풀이

답 _____

**직각의 수 구하기** 040쪽

**6** 직각의 수가 더 적은 것의 기호를 쓰세요.

가 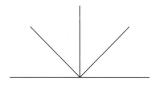          나

풀이

답 _____

{ 실전 **마무리** 하기 }

**한 변의 길이 구하기** 041쪽

**7** 정사각형과 직사각형의 네 변의 길이의 합은 같습니다. ☐ 안에 알맞은 수를 구하세요.

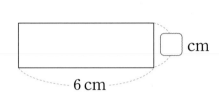

4 cm

6 cm

☐ cm

> 풀이

> 답 _____

**네 변의 길이의 합 구하기** 045쪽

**8** 정사각형 3개를 겹치지 않게 붙여 만든 직사각형입니다. 만든 직사각형의 네 변의 길이의 합은 몇 cm인가요?

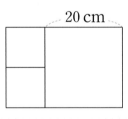

20 cm

> 풀이

> 답 _____

**9** 굵은 선의 길이 구하기 046쪽

직사각형 2개를 겹치지 않게 붙여 만든 도형입니다. 도형을 둘러싼 굵은 선의 길이는 몇 cm인가요?

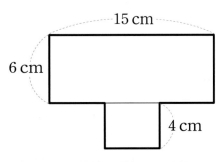

 풀이

답 _____

**10** 크고 작은 도형의 수 구하기 042쪽

오른쪽 도형에서 찾을 수 있는 크고 작은 직각삼각형은 모두 몇 개인가요?

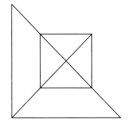

풀이

답 _____

# 3 나눗셈

FUN 한 이야기

길이가 40 m인 오솔길이 있어요.

흠... 오늘은 이 길을 탐험해 볼까?!

남매는 길을 잃어버리지 않게 오솔길의 처음부터 끝까지 과자를 놓으며 지나가려고 해요.

여기서부터 끝까지 과자를 놓으면서 가 보자.

내가 다 먹고 싶었는데... 아깝다.

툭

과자는 5 m 간격으로 놓고 있어요.

삐삐삑! 여기가 5 m!

그럼 여기에 하나 놓고~

툭

와삭 와삭

길에 놓을 과자는 몇 개인가요?

오빠~ 저것 봐.

아고~ 맛나다~ 좀 더 많이 부탁해~

헉! 저... 다람쥐 녀석이!

와삭

와삭

길이가 40 m인 오솔길에/

처음부터 끝까지/ 5 m 간격으로 과자를 놓으려고 합니다./

길에 놓을 과자는 몇 개인가요? (단, 과자의 크기는 생각하지 않습니다.)

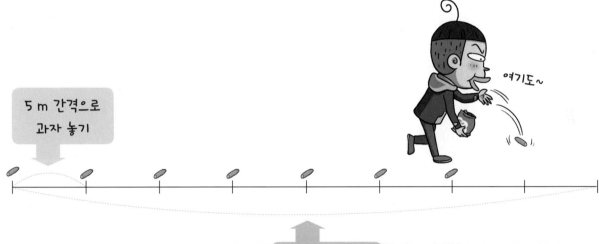

5 m 간격으로
과자 놓기

여기도~

길이가 40 m인
오솔길

간격 수를 먼저 구하면
길에 놓을 과자 수를 구할 수 있어.

간격 수: 40 ÷ □ = □ (군데)

과자 수: □ + 1 = □ (개)

## ① 똑같이 나누기

'**똑같이 나눈다**'는 건
**나눗셈( ÷ )**을 한다는 거야.

· 나눗셈 **15÷3=5**의 표현 알아보기

예 여러 명에게 똑같이 나누어 주기

> 사과 **15**개를 **3**명에게 똑같이 나누어 주면
> ↳ **15÷3**
> 한 명이 **5**개씩 가질 수 있다.
> ↳ =**5**(15÷3의 몫)

예 한 명에게 똑같은 수만큼씩 나누어 주기

> 사과 **15**개를 한 명에게 **3**개씩 주면
> ↳ **15÷3**
> **5**명에게 나누어 줄 수 있다.
> ↳ =**5**(15÷3의 몫)

**선행 문제 ①**

(1) 과자 18개를 접시 2개에 똑같이 나누면 접시 한 개에 몇 개씩 놓여 있나요?

풀이

과자 18개를 접시 2개에 똑같이 나누면
↳18÷☐

접시 한 개에 18÷☐=☐(개)씩 놓여 있다.

(2) 사탕 15개를 한 명에게 5개씩 주면 몇 명에게 나누어 줄 수 있나요?

풀이

사탕 15개를 한 명에게 5개씩 주면
↳15÷☐

15÷☐=☐(명)에게 나누어 줄 수 있다.

**실행 문제 ①**

장미 40송이를/
화분 한 개에 8송이씩 심으려고 합니다./
화분 몇 개가 필요할까요?

전략 똑같이 나누어 심을 때 이용하는 기호를 정하자.

❶ 화분 한 개에 똑같은 수만큼씩 나누어 심어야 하므로 ( + , ÷ )를 이용한다.

전략 (전체 장미의 수)÷(화분 한 개에 심는 장미의 수)

❷ (화분의 수)=40÷☐
=☐(개)

**쌍둥이 문제 1-1**

튤립 56송이를/
화분 한 개에 7송이씩 심으려고 합니다./
화분 몇 개가 필요할까요?

실행 문제 따라 풀기

❶

❷

답 _____

답 _____

## ② 나누어지는 수를 먼저 구하는 계산

**선행 문제 해결 전략**

• 계산 순서에 따라 식 세우기

 〔가장 먼저 계산할 식을 알아봐.〕

> **감 14**개와 **사과 2**개를
> └▸ ① 가장 먼저 계산할 식
> **상자 4**개에 똑같이 나누어 담을 때
> └▸ ② 이어서 계산할 식
> 상자 한 개에 담는 과일은 몇 개인가요?

① (**감**과 **사과** 수의 합)

$= 14 + 2 = 16$

② (**상자 한 개에 담는 과일 수**)

$= 16 \div 4 = 4$(개)
└▸ 상자 수

**선행 문제 ②**

초콜릿 32개가 있었는데 4개를 더 사 와서 9명에게 똑같이 나누어 주었다면 한 명이 몇 개씩 가지나요?

**풀이**

① 가장 먼저 계산할 식

➡ (전체 초콜릿의 수)

$= 32 + \boxed{\phantom{0}} = \boxed{\phantom{0}}$(개)

② 이어서 계산할 식

➡ (한 명이 가지는 초콜릿의 수)

$= \boxed{\phantom{0}} \div 9 = \boxed{\phantom{0}}$(개)

**실행 문제 ②**

한 상자에 8자루씩 들어 있는 색연필이 3상자 있습니다./
이 색연필을 6명에게 똑같이 나누어 주었다면/
한 명이 몇 자루씩 가지나요?

**전략** (한 상자에 들어 있는 색연필의 수) × (상자 수)

❶ (전체 색연필의 수)

$= \boxed{\phantom{0}} \times 3 = \boxed{\phantom{0}}$(자루)

**전략** (전체 색연필의 수) ÷ (사람 수)

❷ (한 명이 가지는 색연필의 수)

$= \boxed{\phantom{0}} \div 6 = \boxed{\phantom{0}}$(자루)

**답**_____

**쌍둥이 문제 2-1**

탁구공이 한 상자에 6개씩 4줄로 놓여 있습니다./
이 탁구공을 8팀에게 똑같이 나누어 주었다면/
한 팀이 몇 개씩 가지나요?

**실행 문제 따라 풀기**

❶



❷



**답**_____

3

나눗셈

59

# { 문제 해결력 기르기 }

③ 일정한 간격으로 놓인 물건의 수 구하기

### 선행 문제 해결 전략

예 깃발 수와 간격 수 사이의 관계 알아보기
깃발의 수를 하나씩 늘려 깃발 수와 간격
수 사이의 관계를 알아보자.

→ 깃발: **2**, 간격: **1**

간격

→ 깃발: **3**, 간격: **2**

간격   간격

→ 깃발: **4**, 간격: **3**

간격   간격   간격

**(깃발 수)＝(간격 수)＋1**

물건의 수가 간격 수보다 1만큼
더 많은 거네.

### 선행 문제 ❸

그림을 보고 빈칸에 알맞은 수를 써넣으세요.

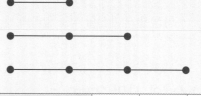

| 점의 수 | 2 | 3 | 4 |
|---|---|---|---|
| 점 사이의 간격 수 | 1 | | |

풀이 점의 수는 점 사이의 간격 수보다
1만큼 더 ( 적다 , 많다 ).

### 실행 문제 ❸

길이가 8 m인 막대기에/
2 m 간격으로 처음부터 끝까지 점을 찍어/
(점의 수)와 (점 사이의 간격 수) 사이의 관계식
을 쓰세요.

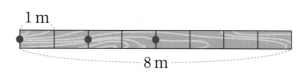

1 m

8 m

❶ 위 그림에 점 찍기

❷ 점의 수: ☐

점 사이의 간격 수: ☐

→ 점의 수가 점 사이의 간격 수보다
☐만큼 더 많다.

식 (점의 수)＝(점 사이의 간격 수)☐1

### 쌍둥이 문제 3-1

길이가 9 m인 막대기에/
3 m 간격으로 처음부터 끝까지 점을 찍어/
(점의 수)와 (점 사이의 간격 수) 사이의 관계식
을 쓰세요.

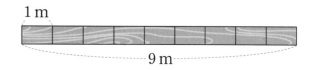

1 m

9 m

실행 문제 따라 풀기

❶

❷

식

# ④ 수 카드로 수 만들기

## 선행 문제 해결 전략

예 수 **1**, **4**, **6** 중 두 수를 골라 한 번씩만 사용하여 두 자리 수 만들기

두 자리 수: ☐☐

십의 자리 숫자가 **1**인 두 자리 수:

**1** 4 , **1** 6
↑         ↑
남은 수를 한 번씩

십의 자리 숫자가 **4**인 두 자리 수:

**4** 1 , **4** 6
↑         ↑
남은 수를 한 번씩

십의 자리 숫자가 **6**인 두 자리 수:

**6** 1 , **6** 4
↑         ↑
남은 수를 한 번씩

## 선행 문제 ④

3장의 수 카드 중에서 2장을 골라 한 번씩만 사용하여 만들 수 있는 두 자리 수를 모두 쓰세요.

5   3   6

풀이

① 십의 자리 숫자가 5인 두 자리 수:

 ,  ☐☐

② 십의 자리 숫자가 3인 두 자리 수:

 ,  ☐☐

③ 십의 자리 숫자가 6인 두 자리 수:

 ,  ☐☐

## 실행 문제 ④

수 카드 1 , 2 , 3 중에서/ 2장을 골라 한 번씩만 사용하여 두 자리 수를 만들었습니다./
만든 수 중에서/
4로 나누어지는 수를 모두 쓰세요.

전략 ▷ 한 장씩 십의 자리에 놓고 나머지 수 카드를 한 번씩 일의 자리에 놓자.

❶ 만든 두 자리 수: ☐ , ☐ , ☐ ,

☐ , ☐ , ☐

전략 ▷ ❶의 수 중 4단 곱셈구구에 나오는 수를 찾자.

❷ 4로 나누어지는 수: ☐ , ☐

답 _____

## 쌍둥이 문제 4-1

수 카드 1 , 5 , 6 중에서/ 2장을 골라 한 번씩만 사용하여 두 자리 수를 만들었습니다./
만든 수 중에서/
8로 나누어지는 수를 모두 쓰세요.

실행 문제 따라 풀기

❶

❷

답 _____

## 똑같이 나누기

연계학습 058쪽

**대표 문제 1**

스케치북 48권과 공책 54권을/
각각 6명에게 똑같이 나누어 주려고 합니다./
한 명이 가지게 되는 공책은 스케치북보다 몇 권 더 많은가요?

**구하려는 것은?**

한 명이 가지게 되는 공책 수와 스케치북 수의 ( 합 , 차 )

**주어진 것은?**

• 스케치북 48권과 공책 ☐ 권

• 각각 ☐ 명에게 똑같이 나누어 줌.

**해결해 볼까?**

❶ 한 명이 가지게 되는 스케치북과 공책은 각각 몇 권?

전략 (전체 스케치북 수)÷(학생 수), (전체 공책 수)÷(학생 수)를 구하자.

답 스케치북: ＿＿＿＿＿＿＿＿ , 공책: ＿＿＿＿＿＿＿＿

❷ 한 명이 가지게 되는 공책은 스케치북보다 몇 권 더 많은가?

전략 ❶에서 구한 두 수의 차를 구하자.

답 ＿＿＿＿＿＿＿＿

**3**

**나눗셈**

62

**쌍둥이 문제 1-1**

연필 28자루와 색연필 36자루를/
각각 4명에게 똑같이 나누어 주려고 합니다./
한 명이 가지게 되는 색연필은 연필보다 몇 자루 더 많은가요?

**대표 문제 따라 풀기**

❶

❷

답 ＿＿＿＿＿＿＿＿

## 나누어지는 수를 먼저 구하는 계산

연계학습 059쪽

**대표 문제 2**

한 판에 6개씩 들어 있는 달걀이 9판 있었는데/
이 중에서 5개가 깨졌습니다./
깨진 달걀을 뺀 나머지를 똑같이 나누어 7일 동안 먹으려고 합니다./
하루에 달걀을 몇 개씩 먹게 되나요?

**구하려는 것은?**
하루에 먹는 달걀의 수

**주어진 것은?**

• 한 판에 6개씩 들어 있는 달걀 9판 중 깨진 달걀은 ☐ 개

• 나누어 먹는 날수: ☐ 일

**해결해 볼까?**

❶ 처음 있던 달걀은 몇 개?

전략 (한 판에 들어 있는 달걀 수)×(판 수)    답 _____

❷ 깨지지 않은 달걀은 몇 개?

전략 (❶에서 구한 달걀의 수)−(깨진 달걀의 수)    답 _____

❸ 7일 동안 똑같이 나누어 먹을 때 하루에 먹게 되는 달걀은 몇 개?

전략 (❷에서 구한 달걀의 수)÷(나누어 먹는 날수)    답 _____

3

나눗셈

63

**쌍둥이 문제 2-1**

스티로폼 상자에 딸기가 8개씩 4줄로 놓여 있었는데/
이 중에서 2개에 곰팡이가 피어 버렸습니다./
버리고 남은 딸기를 접시 5개에 똑같이 나누어 담으려고 합니다./
접시 한 개에 딸기를 몇 개씩 담아야 하나요?

**대표 문제 따라 풀기**

❶

❷

❸

답 _____

## { 수학 사고력 키우기 }

### 🐻 일정한 간격으로 놓인 물건의 수 구하기

🔵 연계학습 060쪽

**대표 문제 ③**

길이가 40 m인 도로 한쪽에/
5 m 간격으로 처음부터 끝까지 나무를 심으려고 합니다./
몇 그루의 나무를 심게 되나요? (단, 나무의 두께는 생각하지 않습니다.)

5 m

······

40 m

😊 **구하려는 것은?**  도로 ( 한쪽 , 양쪽 )에 심을 나무의 수

🐻 **주어진 것은?**  길이가 ☐ m인 도로 한쪽에 ☐ m 간격으로 처음부터 끝까지 나무 심기

😊 **해결해 볼까?**

❶ 나무 사이의 간격은 몇 군데?

[전략] 간격 수는 5 m가 40 m에 몇 번 있는지를 구하는 것이므로
40에서 5씩 빼 0을 만드는 나눗셈으로 구하자.
답 _____

❷ 심을 나무는 몇 그루?

[전략] (심을 나무 수)=(나무 사이의 간격 수)+1
답 _____

**3**

나눗셈

**쌍둥이 문제**

**3-1**

길이가 42 m인 도로 한쪽에/
7 m 간격으로 처음부터 끝까지 가로등을 세우려고 합니다./
몇 개의 가로등을 세울 수 있나요? (단, 가로등의 두께는 생각하지 않습니다.)

7 m

······

42 m

😊 **대표 문제 따라 풀기**

❶

❷

답 _____

## 😊 수 카드로 수 만들기

ⓒ 연계학습 061쪽

**대표 문제 4**

3장의 수 카드 중에서 / 2장을 골라 한 번씩만 사용하여 두 자리 수를 만들었습니다. /
만든 수 중에서 /
9로 나누어지는 수를 모두 쓰세요.

😊 **구하려는 것은?**

수 카드로 만든 두 자리 수 중 ☐ 로 나누어지는 수

😊 **어떻게 풀까?**

1 만든 두 자리 수를 모두 쓰고,
2 만든 수 중 9단 곱셈구구에 나오는 수를 찾자.

😊 **해결해 볼까?**

❶ 만든 두 자리 수는?

전략 한 장씩 십의 자리에 놓고 나머지 수 카드를 한 번씩 일의 자리에 놓자.

답 _____

❷ 9로 나누어지는 수를 모두 쓰면?

전략 ❶의 수 중 9단 곱셈구구에 나오는 수를 찾자.     답 _____

**쌍둥이 문제 4-1**

3장의 수 카드 중에서 / 2장을 골라 한 번씩만 사용하여 두 자리 수를 만들었습니다. /
만든 수 중에서 /
5로 나누어지는 수를 모두 쓰세요.

😊 **대표 문제 따라 풀기**

❶


❷

답 _____

3

나눗셈

65

# { 수학 독해력 완성하기 }

연계학습 063쪽

## 나누어지는 수를 먼저 구하는 계산

**독해 문제 1**

포도가 한 상자에 8송이씩 7상자가 있었는데/
7송이를 더 사 왔습니다./
이 포도를 9가구가 똑같이 나누어 가지려고 합니다./
한 가구가 가져가는 포도는 몇 송이인가요?

**해결해 볼까?** ❶ 처음 있던 포도는 몇 송이?

답_____

❷ 더 사 온 후 전체 포도는 몇 송이?

답_____

❸ 한 가구가 가져가는 포도는 몇 송이?

답_____

## 만들 수 있는 정사각형의 수 구하기

**독해 문제 2**

가로가 12 cm이고 세로가 20 cm인/ 직사각형 모양의 도화지를 잘라/
한 변의 길이가 4 cm인 정사각형을 만들려고 합니다./
정사각형을 몇 개까지 만들 수 있나요?

**해결해 볼까?** ❶ 가로 한 줄에 만들 수 있는 정사각형은 몇 개?

답_____

❷ 세로 한 줄에 만들 수 있는 정사각형은 몇 개?

답_____

❸ 만들 수 있는 정사각형은 몇 개?

전략 (가로 한 줄에 만들 수 있는 정사각형의 수)
×(세로 한 줄에 만들 수 있는 정사각형의 수)

답_____

☺ **바르게 계산한 몫 구하기**

**독해 문제 3**

어떤 수를 3으로 나누어야 할 것을/
잘못하여 6으로 나누었더니 몫이 2가 되었습니다./
바르게 계산하면 몫은 얼마인가요?

🐻 **해결해 볼까?**   ❶ 어떤 수를 ☐라 하고 잘못 계산한 식을 쓰면?

식 _____

❷ 어떤 수는 얼마?

[전략] ❶의 식에서 곱셈식을 이용하여 ☐를 구하자.    답 _____

❸ 바르게 계산한 몫은?

[전략] 어떤 수를 3으로 나누자.    답 _____

☺ **조건에 맞는 수 구하기**

**독해 문제 4**

3☐는 두 자리 수이고 4로 나누어집니다./
다음 나눗셈식의 몫이 가장 크게 될 때/ ☐ 안에 알맞은 수를 구하세요.

$$3\boxed{\phantom{0}} \div 4$$

🐻 **해결해 볼까?**   ❶ 3☐는 몇 단 곱셈구구의 곱?

[전략] 3☐는 4로 나누어진다.    답 _____

❷ ☐ 안에 알맞은 수를 모두 쓰면?

[전략] ❶에서 구한 곱셈구구의 곱 중 십의 자리 숫자가 3일 때를 구하자.

답 _____

❸ 나눗셈의 몫이 가장 크게 될 때 ☐ 안에 알맞은 수는?

답 _____

3

나눗셈

67

☺ **일정한 간격으로 놓인 물건의 수 구하기**

ⓒ 연계학습 **064**쪽

**독해 문제 5**

길이가 35 m인 가로수길 양쪽에/
7 m 간격으로 처음부터 끝까지 의자를 놓으려고 합니다. /
의자는 몇 개 놓을 수 있나요? (단, 의자의 길이는 생각하지 않습니다.)

☺ **구하려는 것은?** 가로수길 ( 한쪽 , 양쪽 )에 놓을 의자의 수

☺ **주어진 것은?** 길이가 ☐ m인 가로수길 양쪽에 ☐ m 간격으로 처음부터 끝까지 의자 놓기

☺ **어떻게 풀까?** ❶ 나눗셈을 이용해 가로수길 한쪽에 놓을 의자 사이의 간격 수를 구한 후,
❷ 가로수길 한쪽에 놓을 의자 수를 구하고, 2배하여 양쪽에 놓을 의자 수를 구하자.

☺ **해결해 볼까?** ┄┄┄┄┄┄┄┄┄┄┄┄┄┄┄┄┄┄┄┄┄┄┄┄┄┄┄┄┄┄┄┄┄┄┄┄┄┄┄┄

❶ 가로수길 한쪽에 놓을 의자 사이의 간격은 몇 군데?

　[전략] 간격 수는 7 m가 35 m에 몇 번 있는지를 구하는 것이므로 35에서 7씩 빼 0을 만드는 나눗셈으로 구하자.

　　　　　　　　　　　　　　　　　　　　　　　답▶ _____

❷ 가로수길 한쪽에 놓을 의자는 몇 개?

　[전략] (의자 수)=(의자 사이의 간격 수)+1　　답▶ _____

❸ 가로수길 양쪽에 놓을 의자는 몇 개?

　　　　　　　　　　　　　　　　　　　　　　　답▶ _____

## 물건을 자르는 데 걸린 시간 구하기

**독해 문제 6**

굵기가 일정한 통나무를 쉬지 않고 4도막으로 자르는 데/
모두 18분이 걸렸습니다./
통나무를 한 번 자르는 데 걸린 시간은 몇 분일까요?
(단, 한 번 자르는 데 걸리는 시간은 일정합니다.)

**구하려는 것은?** 통나무를 한 번 자르는 데 걸린 시간

**주어진 것은?** 통나무를 쉬지 않고 4도막으로 자르는 데 걸린 시간 : ☐ 분

**어떻게 풀까?**
1. 통나무를 자른 횟수와 도막 수 사이의 관계를 알아보고,
2. 4도막이 될 때 자른 횟수를 구해
3. (총 걸린 시간)을 (자른 횟수)로 나누어 통나무를 한 번 자르는 데 걸린 시간을 구하자.

**해결해 볼까?**

❶ 표를 완성하기

| 통나무를 자른 횟수(번) | 1 | 2 | 3 | 4 |
|---|---|---|---|---|
| 도막 수(도막) | 2 | | | |

❷ 통나무가 4도막이 될 때 자른 횟수는 몇 번?

답 _____

❸ 통나무를 한 번 자르는 데 걸린 시간은 몇 분?

전략 (전체 걸린 시간)÷(자른 횟수)

 답 _____

3

나눗셈

69

# { 창의·융합·코딩 체험하기 }

[융합 ①~②] 계산기는 나눗셈을 뺄셈으로 계산합니다./
예를 들어, 계산기에 $10 \div 2$를 입력하면/
$10$에서 $0$이 나올 때까지 $2$를 뺀 횟수가 계산기 결과가 됩니다.

계산기 입력 : $10$ ÷ $2$

계산 방법 : $10$ $-$ $2$ $-$ $2$ $-$ $2$ $-$ $2$ $-$ $2$ $=0$
　　　　　　　　　　　　　5번

계산기 결과 : $5$ ←

**융합 ①** $6 \div 2$를 계산기가 계산하는 방법으로 계산하려고 합니다. ☐ 안에 알맞은 수를 써넣으세요.

계산기 입력 : $6$ ÷ $2$

계산 방법 : $6$ $-$ ☐ $-$ ☐ $-$ ☐ $=0$

계산기 결과 : ☐

**융합 ②** $35 \div 7$을 계산기가 계산하는 방법으로 계산하려고 합니다. ☐ 안에 알맞은 수를 써넣으세요.

계산기 입력 : $35$ ÷ $7$

계산 방법 : $35$ $-$ ☐ $-$ ☐ $-$ ☐ $-$ ☐ $-$ ☐ $=0$

계산기 결과 : ☐

계산기는 나눗셈을 할 때 뺄셈을 이용해 '몇 번 빼면 0이 되는가?'를 생각해.
만약 계산기에서 0으로 나눈다면 끝없이 0을 빼야겠지?
그런데 0을 빼면 수가 줄지 않으니 답을 구할 수 없어.

**창의 3**

1 m 길이의 끈을 잘라/ 64 cm는 선물 포장하는 데 사용했습니다./
남은 끈으로 가장 큰 정사각형을 만들려면/
한 변의 길이를 몇 cm로 해야 하나요?

선물 포장          정사각형 만들기

 정사각형은 네 변의 길이가
모두 같다는 걸 기억하고 있지?

답 _____

 **창의 4**

○○ 보드게임에 사용되는 돈의 종류는 4가지이며 장수는 다음과 같습니다./
4명이 돈의 종류마다 똑같은 수만큼 나누어 가진 후 시작하려면/
각각 몇 장씩 나눠 가져야 하나요?

▲16장

▲20장

▲32장

▲36장

답
| 1000원 | 500원 | 100원 | 50원 |
| --- | --- | --- | --- |
| 장 | 장 | 장 | 장 |

3

나눗셈

71

# 4 STEP 창의·융합·코딩 체험하기

[코딩 5 ~ 6] 화면에 나오는 동물의 수를/ [조건]에 맞게 8로 나누어 답해야 하는 프로그램입니다./
화면에 맞게 답을 구하세요.

[조건]

1. 말의 수보다 토끼의 수가 더 많으면 토끼의 수를 8로 나눕니다.
2. 말의 수보다 토끼의 수가 더 적으면 토끼의 수와 말의 수의 합을 8로 나눕니다.

코딩 5

토끼 32마리 닫기

말 21마리 닫기

답

코딩 6

토끼 19마리 닫기

말 45마리 닫기

답

**코딩 7** 다음 3개의 마법통은 수를 넣으면/ 같은 규칙에 의해 수가 변해 나옵니다./
25를 마법통에 넣으면/ 어떤 수가 나오나요?

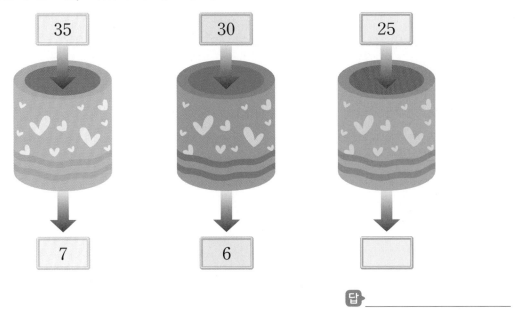

답 _____

**창의 8** 한 시간마다 다음과 같은 규칙으로 돌아/
4시간이 지나면 제자리로 돌아오는 작품입니다./
오늘 오전 6시부터 오전 10시까지의 모양을 보고/
내일 오전 6시의 모양을 그리세요.

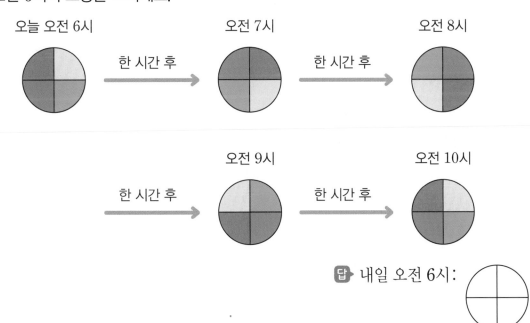

답 내일 오전 6시:

**나누어지는 수를 먼저 구하는 계산** 059쪽

**1** 어머니께서 고구마를 27개 사 오셨습니다. 이 중 3개를 먹고 나머지는 봉지 4개에 똑같이 나누어 담았습니다. 봉지 한 개에 고구마를 몇 개씩 담았나요?

 풀이

답 _____

**나누어지는 수를 먼저 구하는 계산** 059쪽

**2** 한 상자에 9개씩 들어 있는 사탕이 2상자 있습니다. 이 사탕을 6명에게 똑같이 나누어 주었다면 한 명이 몇 개씩 받았나요?

 풀이

답 _____

**똑같이 나누기** 062쪽

**3** 귤 21개와 딸기 27개를 각각 바구니 3개에 똑같이 나누어 담으려고 합니다. 바구니 한 개에 담는 딸기는 귤보다 몇 개 더 많은가요?

 풀이

답 _____

**자르는 횟수 구하기**

**4**  길이가 48 cm인 나무 막대를 8 cm씩 자르려고 합니다. 몇 번 잘라야 하나요?

 풀이▶

답▶ _____

**만든 정사각형의 한 변의 길이 구하기**

**5**  길이가 28 cm인 철사를 남김없이 사용하여 크기가 같은 정사각형 7개를 만들었습니다. 만든 정사각형의 한 변의 길이는 몇 cm인가요?

 풀이▶

답▶ _____

**나누어지는 수를 먼저 구하는 계산** ⟳063쪽

**6**  한 봉지에 9개씩 들어 있는 조개가 3봉지 있었는데 이 중에서 2개가 깨져 있어서 버렸습니다. 남은 조개를 삶아 5명이 똑같이 나누어 먹으려고 합니다. 한 명이 조개를 몇 개씩 먹게 되나요?

 풀이▶

답▶ _____

3

나눗셈

75

**일정한 간격으로 놓인 물건의 수 구하기** ◠064쪽

**7** 길이가 81 m인 도로 한쪽에 9 m 간격으로 처음부터 끝까지 쓰레기통을 놓으려고 합니다. 몇 개의 쓰레기통을 놓게 되나요? (단, 쓰레기통의 크기는 생각하지 않습니다.)

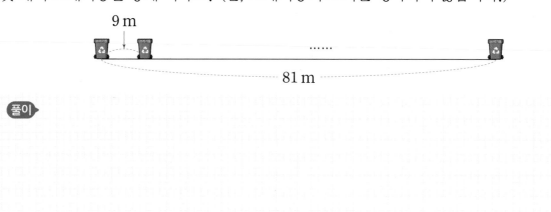

풀이

답 _____

**수 카드로 수 만들기** ◠065쪽

**8** 3장의 수 카드 중에서 2장을 골라 한 번씩만 사용하여 두 자리 수를 만들었습니다. 만든 수 중에서 6으로 나누어지는 수를 모두 쓰세요.

풀이

답 _____

**바르게 계산한 몫 구하기** 067쪽

**9** 어떤 수를 6으로 나누어야 할 것을 잘못하여 2로 나누었더니 몫이 9가 되었습니다. 바르게 계산하면 몫은 얼마인가요?

풀이

답 _____

**물건을 자르는 데 걸린 시간 구하기** 069쪽

**10** 굵기가 일정한 철근을 쉬지 않고 5도막으로 자르는 데 모두 20분이 걸렸습니다. 철근을 한 번 자르는 데 걸린 시간은 몇 분일까요? (단, 한 번 자르는 데 걸리는 시간은 일정합니다.)

풀이

답 _____

5도막이 되려면 철근을 몇 번 잘라야 할까?

철근을 자른 횟수와 도막 수 사이의 관계를 생각해 봐.

3

나눗셈

77

# 4 곱셈

사탕이 50개 있어요. /

한 통에 30개씩 들어 있는 사탕을 3통 더 사 왔다면 /

사탕은 모두 몇 개인가요?

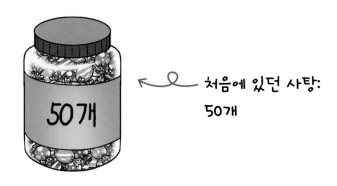

처음에 있던 사탕:
50개

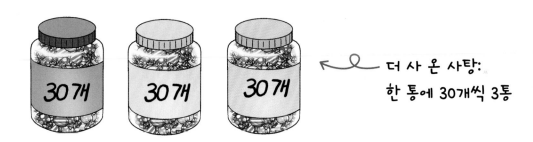

더 사 온 사탕:
한 통에 30개씩 3통

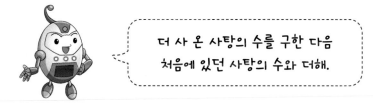

더 사 온 사탕의 수를 구한 다음
처음에 있던 사탕의 수와 더해.

| ① 더 사 온 사탕은 몇 개인지 구하기 | ② 사탕은 모두 몇 개인지 구하기 |
|---|---|
| 식 _____ | 식 _____ |
| 답 _____ 개 | 답 _____ 개 |

# { 문제 해결력 기르기 }

## ① 곱셈식 계산하기

### 선행 문제 해결 전략

• 곱셈식을 세우는 경우 알아보기

| 한 묶음에 □개씩 △묶음 |
|---|
| 한 상자에 □개씩 △상자 |
| □의 △배 |

↓

□ × △

 곱셈식을 세워야 하는 표현을 알아보고 식을 세워 계산해 봐.

### 선행 문제 ①

모두 몇 개인지 구해 보세요.

(1)
한 묶음에 20개씩 3묶음

풀이 20 ◯ 3 = □ (개)

(2)
한 상자에 22개씩 4상자

풀이 22 ◯ 4 = □ (개)

(3)
30개의 2배

풀이 30 ◯ 2 = □ (개)

### 실행 문제 ①

당근이 한 상자에 13개씩 3상자 있습니다./ 당근은 모두 몇 개인가요?

전략 '13개씩 3상자'에 대해 어떤 식을 세울지 정하자.

❶ 당근이 모두 몇 개인지 구하려면
   ( 곱셈식 , 나눗셈식 )을 세운다.

전략 (한 상자에 들어 있는 당근의 수)×(상자 수)

❷ (당근의 수)=13 ◯ 3
   = □ (개)

답 _____

### 쌍둥이 문제 1-1

줄넘기를 유진이는 23번 했고,/ 선우는 유진이의 2배만큼 했습니다./ 선우는 줄넘기를 몇 번 했나요?

실행 문제 따라 풀기

❶

❷

답 _____

## ② 곱의 크기 비교하기

### 선행 문제 해결 전략

예 어느 것이 더 많은지 구하기

농구공이 한 상자에 15개씩 3상자 있고, 축구공이 48개 있습니다. 어느 것이 더 많은가요?

어느 것이 더 많은지 알아보려면

먼저 전체 농구공의 수를 구해야 해.

### 선행 문제 ②

더 큰 것의 기호를 써 보세요.

(1)  ㉠ 20 × 2    ㉡ 50

풀이 ㉠ 20 × 2 = ☐ , ㉡ 50

➡ 더 큰 것은 ☐ 이다.

(2)  ㉠ 40 × 3    ㉡ 100

풀이 ㉠ 40 × 3 = ☐ , ㉡ 100

➡ 더 큰 것은 ☐ 이다.

### 실행 문제 ②

사탕이 한 봉지에 20개씩 4봉지 있고,/
초콜릿이 70개 있습니다./
사탕과 초콜릿 중 어느 것이 더 많은가요?

전략 (한 봉지에 있는 사탕의 수)×(봉지 수)

❶ (사탕의 수)＝20 ◯ 4

＝ ☐ (개)

전략 ❶에서 구한 사탕의 수와 초콜릿의 수를 비교해 보자.

❷ ☐ 개 ◯ 70개이므로 ( 사탕 , 초콜릿 )

이 더 많다.

답 _____

### 쌍둥이 문제 2-1

빨간색 공은 한 상자에 32개씩 4상자 있고,/
파란색 공은 130개 있습니다./
빨간색 공과 파란색 공 중 어느 것이 더 많은가요?

실행 문제 따라 풀기

❶

❷

답 _____

4

곱셈

81

③ **덧셈(뺄셈)을 한 후 곱셈하기**

**선행 문제 해결 전략**

예 복잡한 문제에서 먼저 구해야 할 것 찾기

> ┌ 주머니 1개에 노란색 공이 7개, 파란색
> └ 공이 5개씩 들어 있습니다.
>   주머니 4개에 들어 있는 공은 모두 몇 개
>   인가요?

**주머니 4개에 들어 있는 공의 수**를 구하기 위해서는

먼저 **주머니 1개에 들어 있는 공의 수**를 구해.

**선행 문제 ③**

먼저 구해야 할 것을 알아보고 그 수를 구해 보세요.

> 상자 1개에 빨간 색연필이 20자루,
> 분홍 색연필이 10자루 들어 있습니다.
> 상자 3개에 들어 있는 색연필은 모두
> 몇 자루인가요?

풀이

먼저 구해야 할 것
→ (상자 1개에 들어 있는 색연필의 수)

$$=20+\boxed{\phantom{0}}=\boxed{\phantom{0}}\text{(자루)}$$

**실행 문제 ③**

꽃병 1개에 장미가 10송이, 튤립이 9송이씩 꽂혀 있습니다. /
꽃병 4개에 꽂혀 있는 꽃은 모두 몇 송이인가요?

전략 ▷ 꽃병 1개에 꽂혀 있는 (장미의 수)+(튤립의 수)

❶ 먼저 구해야 할 것

→ (꽃병 $\boxed{\phantom{0}}$개에 꽂혀 있는 꽃의 수)

$$=10+\boxed{\phantom{0}}=\boxed{\phantom{0}}\text{(송이)}$$

전략 ▷ (꽃병 1개에 꽂혀 있는 꽃의 수)×(꽃병의 수)

❷ (꽃병 4개에 꽂혀 있는 꽃의 수)

$$=\boxed{\phantom{0}}\times4$$
$$=\boxed{\phantom{0}}\text{(송이)}$$

답 _____

**쌍둥이 문제 3-1**

미주네 반에는 여학생이 15명, 남학생이 18명 있습니다. /
미주네 반 학생들에게 공책을 5권씩 주려면 공책은 몇 권이 필요한가요?

실행 문제 따라 풀기 ▷

❶

❷

답 _____

## ④ 어떤 수를 구하여 곱셈하기

### 선행 문제 해결 전략

• 어떤 수 구하기

 어떤 수를 □라 하여 식을 세우고 □의 값을 구해 봐.

예 어떤 수에 4를 더했더니 25가 되었습니다.
　□　　＋4　　＝25

$$□ + 4 = 25$$

덧셈과 뺄셈의 관계를 이용한다.

$$➡ □ = 25 - 4 = 21$$

예 어떤 수에서 6을 뺐더니 10이 되었습니다.
　□　　 －6　　＝10

$$□ - 6 = 10$$

$$➡ □ = 10 + 6 = 16$$

### 선행 문제 ④

어떤 수를 □라 하여 식을 세워 보고 □의 값을 구해 보세요.

(1) 어떤 수에 4를 더했더니 16이 되었습니다.

풀이 $□ + \boxed{\phantom{0}} = \boxed{\phantom{0}}$

$➡ □ = 16 - \boxed{\phantom{0}} = \boxed{\phantom{0}}$

(2) 어떤 수에서 2를 뺐더니 14가 되었습니다.

풀이 $□ - \boxed{\phantom{0}} = \boxed{\phantom{0}}$

$➡ □ = 14 + \boxed{\phantom{0}} = \boxed{\phantom{0}}$

### 실행 문제 ④

어떤 수에 5를 더했더니 17이 되었습니다./ 어떤 수와 5의 곱을 구해 보세요.

❶ 어떤 수를 □라 하여 덧셈식 세우기:

$□ + \boxed{\phantom{0}} = \boxed{\phantom{0}}$

전략 ❶의 식에서 덧셈과 뺄셈의 관계를 이용하여 □의 값을 구하자.

❷ $□ = 17 - \boxed{\phantom{0}}$

$= \boxed{\phantom{0}}$

❸ 어떤 수와 5의 곱: $\boxed{\phantom{0}} \times 5 = \boxed{\phantom{0}}$

답 _____

### 쌍둥이 문제 ④-1

어떤 수에서 9를 뺐더니 30이 되었습니다./ 어떤 수와 4의 곱을 구해 보세요.

실행 문제 따라 풀기

❶


❷


❸


답 _____

## ⑤ 곱셈식 완성하기

**해결 전략**

• ▢ 안에 알맞은 수 구하기

$$
\begin{array}{r}
1\ \square \\
\times\qquad 8 \\
\hline
1\ 5\ 2
\end{array}
$$

① ▢가 될 수 있는 수 예상하기
　▢×8의 일의 자리가 **2**이므로
　곱의 일의 자리가 **2**가 되는 ▢를 찾는다.
　➡ **4×8=32**이므로 ▢=**4**
　　**9×8=72**이므로 ▢=**9**

② ▢에 수를 넣어 계산이 맞는지 확인하기

$$
\begin{array}{r}
1\ 4 \\
\times\quad 8 \\
\hline
1\ 1\ 2
\end{array}(\times)
\qquad
\begin{array}{r}
1\ 9 \\
\times\quad 8 \\
\hline
1\ 5\ 2
\end{array}(\bigcirc) \Rightarrow \square=9
$$

**선행 문제 ⑤**

곱의 일의 자리 수를 보고 ▢가 될 수 있는 수를 구해 보세요.

(1) $9 \times \square = \bigstar 5$

풀이 곱의 일의 자리가 5가 되는 경우:

$9 \times \boxed{\phantom{0}} = 45$이므로 $\square = \boxed{\phantom{0}}$

(2) $6 \times \square = \blacktriangle 4$

풀이 곱의 일의 자리가 4가 되는 경우:

$6 \times \boxed{\phantom{0}} = 24$이므로 $\square = \boxed{\phantom{0}}$

$6 \times \boxed{\phantom{0}} = 54$이므로 $\square = \boxed{\phantom{0}}$

**실행 문제 ⑤**

▢ 안에 알맞은 수를 구해 보세요.

$$
\begin{array}{r}
4\ 2 \\
\times\quad \square \\
\hline
2\ 9\ 4
\end{array}
$$

전략 $2 \times \square$의 일의 자리가 4가 되는 경우를 찾자.

❶ 곱의 일의 자리 수를 보고 ▢ 예상하기:

$2 \times \boxed{\phantom{0}} = 4$이므로 $\square = \boxed{\phantom{0}}$

$2 \times \boxed{\phantom{0}} = \boxed{\phantom{0}}$이므로 $\square = \boxed{\phantom{0}}$

전략 ❶에서 찾은 수를 넣어 곱해 보자.

❷
$$
\begin{array}{r}
4\ 2 \\
\times\quad \square \\
\hline
8\ 4
\end{array}(\times)
\qquad
\begin{array}{r}
4\ 2 \\
\times\quad \square \\
\hline
2\ 9\ 4
\end{array}(\bigcirc)
$$

**쌍둥이 문제 5-1**

▢ 안에 알맞은 수를 구해 보세요.

$$
\begin{array}{r}
2\ 6 \\
\times\quad \square \\
\hline
2\ 0\ 8
\end{array}
$$

실행 문제 따라 풀기

❶



❷



답 _____

답 _____

## 6 수 카드로 수를 만들어 곱 구하기

• 수 카드를 한 번씩 사용하여 (몇십몇)×(몇)의 곱셈식 만들기

예 곱이 가장 큰 ㉠㉡×㉢ 만들기

  ㉢은 ㉠과 ㉡에 모두 곱하므로 ㉢이 가장 크면 결과도 가장 커.

① 가장 큰 수를 ㉢에 놓는다.

② 나머지 수로 **가장 큰** ㉠㉡을 만든다.

예 곱이 가장 작은 ㉠㉡×㉢ 만들기

  ㉢은 ㉠과 ㉡에 모두 곱하므로 ㉢이 가장 작으면 결과도 가장 작아.

① 가장 작은 수를 ㉢에 놓는다.

㉠ ㉡ × 2

② 나머지 수로 **가장 작은** ㉠㉡을 만든다.

3 4 × 2 =68

4

곱
셈

85

---

**실행 문제 6**

수 카드를 한 번씩 사용하여/
곱이 가장 큰 (몇십몇)×(몇)의 곱셈식을 만들어
계산해 보세요.

전략 큰 수부터 차례로 써 보자.

❶ 수 카드의 수의 크기 비교하기:

❷ 곱이 가장 큰 곱셈식:

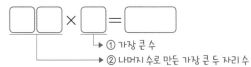

➡ ① 가장 큰 수
➡ ② 나머지 수로 만든 가장 큰 두 자리 수

답 _____

---

**쌍둥이 문제 6-1**

수 카드를 한 번씩 사용하여/
곱이 가장 작은 (몇십몇)×(몇)의 곱셈식을
만들어 계산해 보세요.

실행 문제 따라 풀기

❶

❷

답 _____

# { 수학 사고력 키우기 }

## 곱셈식 계산하기

연계학습 080쪽

**대표 문제 ①**

떡이 한 줄에 15개씩 4줄 있었습니다. /
그중에서 5개를 먹었다면/ 남은 떡은 몇 개인가요?

**구하려는 것은?**

먹고 남은 떡의 수

**주어진 것은?**

• 처음에 있던 떡: 한 줄에 15개씩 ☐줄

• 먹은 떡: ☐개

**해결해 볼까?**

❶ 처음에 있던 떡은 몇 개?

전략 (한 줄에 있던 떡의 수)×(줄 수)

답 _____

❷ 남은 떡은 몇 개?

전략 (처음에 있던 떡의 수)−(먹은 떡의 수)

답 _____

**쌍둥이 문제 1-1**

풍선이 한 묶음에 35개씩 3묶음 있었습니다. /
풍선 14개를 더 사 왔다면/ 풍선은 모두 몇 개인가요?

**대표 문제 따라 풀기**

❶

❷

답 _____

## 🙂 곱의 크기 비교하기

🅒 연계학습 081쪽

**대표 문제 ②**

사과는 한 상자에 16개씩 6상자 있고, /
귤은 한 상자에 20개씩 5상자 있습니다. /
사과와 귤 중에서 어느 것이 더 많은가요?

**😊 구하려는 것은?**

사과와 귤 중에서 더 많은 것

**🐻 주어진 것은?**

• 사과: 한 상자에 16개씩 ☐ 상자

• 귤: 한 상자에 20개씩 ☐ 상자

**😊 해결해 볼까?**

❶ 사과는 몇 개?

　전략⟩ (한 상자에 들어 있는 사과의 수) × (상자 수)

　답 _____

❷ 귤은 몇 개?

　전략⟩ (한 상자에 들어 있는 귤의 수) × (상자 수)

　답 _____

❸ 사과와 귤 중에서 더 많은 것은?

　전략⟩ ❶과 ❷에서 구한 두 수의 크기를 비교하자.

　답 _____

**4**

**곱셈**

87

**쌍둥이 문제 2-1**

보름 초등학교에 3학년은 한 반에 24명씩 5개 반이 있고, /
4학년은 한 반에 27명씩 4개 반이 있습니다. /
3학년과 4학년 중에서 학생 수가 더 적은 학년은 몇 학년인가요?

**😊 대표 문제 따라 풀기**

❶

❷

❸

　답 _____

😊 **덧셈(뺄셈)을 한 후 곱셈하기**

🔵 연계학습 082쪽

**대표 문제 ③**

한 상자에 딸기우유와 초코우유가 들어 있습니다.
딸기우유는 30개 들어 있고,
초코우유는 딸기우유보다 7개 더 적게 들어 있습니다. /
8상자에 들어 있는 초코우유는 몇 개인가요?

😊 **구하려는 것은?**   8상자에 들어 있는 초코우유의 수

🐷 **주어진 것은?**
- 한 상자에 들어 있는 딸기우유의 수: ⬜ 개
- 한 상자에 들어 있는 초코우유의 수: (딸기우유의 수)− ⬜ 개

😊 **해결해 볼까?**

❶ 한 상자에 들어 있는 초코우유는 몇 개?

답 _____

❷ 8상자에 들어 있는 초코우유는 몇 개?

답 _____

**쌍둥이 문제 3-1**

한 상자에 단팥빵과 크림빵이 모두 40개 들어 있습니다.
단팥빵이 11개이고, 나머지는 크림빵입니다. /
7상자에 들어 있는 크림빵은 모두 몇 개인가요?

😊 **대표 문제 따라 풀기**

❶


❷


답 _____

## 😊 어떤 수를 구하여 곱셈하기

⊙ 연계학습 083쪽

**대표 문제 ④**

15와 어떤 수를 곱해야 할 것을/
잘못하여 5와 어떤 수를 곱했더니 40이 되었습니다./
바르게 계산한 값을 구해 보세요.

😊 **구하려는 것은?** 바르게 계산한 값

😊 **어떻게 풀까?**

1️⃣ 어떤 수를 □라 하여 잘못 계산한 식을 세우고,
2️⃣ 곱셈과 나눗셈의 관계를 이용하여 1️⃣의 식에서 □의 값을 구한 다음
3️⃣ 바르게 계산한 값을 구하자.

😊 **해결해 볼까?**

❶ 어떤 수를 □라 하여 잘못 계산한 식을 세우면?

식 _____

❷ □의 값은?

전략 ■ × ▲ = ● → ▲ = ● ÷ ■

답 _____

❸ 바르게 계산한 값은?

전략 15 × □를 구하자.

답 _____

**쌍둥이 문제 4-1**

33과 어떤 수를 곱해야 할 것을/
잘못하여 3과 어떤 수를 곱했더니 27이 되었습니다./
바르게 계산한 값을 구해 보세요.

😊 **대표 문제 따라 풀기**

❶


❷


❸


답 _____

4

곱셈

## 곱셈식 완성하기

ⓒ 연계학습 084쪽

**대표 문제 5** ㉠에 알맞은 수를 구해 보세요.

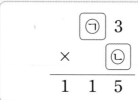

**구하려는 것은?**

㉠에 알맞은 수

**어떻게 풀까?**

1 곱의 일의 자리 수를 보고 ㉡을 구하고,

2 올림한 수를 생각하여 ㉠×㉡이 될 수 있는 수를 찾아 ㉠에 알맞은 수를 구하자.

**해결해 볼까?**

❶ ㉡에 알맞은 수는?

전략 일의 자리의 계산 3×㉡에서 일의 자리가
5가 되는 경우를 찾아보자.

답 _____

❷ ㉠×㉡의 값은?

전략 일의 자리의 계산에서 올림한 수를 빼 보자.

답 _____

❸ ㉠에 알맞은 수는?

전략 ㉠×(❶에서 구한 값)=(❷에서 구한 값)

답 _____

**쌍둥이 문제**

**5-1** ㉠에 알맞은 수를 구해 보세요.

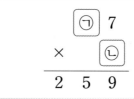

**대표 문제 따라 풀기**

❶

❷

❸

답 _____

## 수 카드로 수를 만들어 곱 구하기

연계학습 085쪽

**대표 문제 6**

수 카드 중에서 3장을 골라 한 번씩만 사용하여 /
곱이 가장 큰 (몇십몇)×(몇)을 만들고 계산해 보세요.

 →

**구하려는 것은?**

곱이 가장 큰 (몇십몇)×(몇)

**어떻게 풀까?**

1 수의 크기를 비교하고
2 가장 큰 수가 들어갈 자리를 찾아 곱셈식을 만들고 계산해 보자.

**해결해 볼까?**

❶ 수 카드의 수의 크기를 비교해 보면?

답 ☐>☐>☐>☐

❷ ㉠, ㉡, ㉢ 중에서 가장 큰 수를 놓아야 하는 곳은?

전략 > 곱이 가장 크려면 가장 큰 수를 어느 자리에
놓아야 하는지 생각해 보자.

답 _____

❸ 곱이 가장 큰 곱셈식을 만들고 계산해 보면?

식 ☐☐×☐

답 _____

**쌍둥이 문제 6-1**

수 카드 중에서 3장을 골라 한 번씩만 사용하여 /
곱이 가장 작은 (몇십몇)×(몇)을 만들어 계산해 보세요.

 →

**대표 문제 따라 풀기**

❶

❷

❸

답 _____

# { 수학 독해력 완성하기 }

연계학습 080쪽

## 곱셈식 계산하기

**독해 문제 1**

은서가 가지고 있는 붙임딱지는 몇 장인가요?

> 나는 붙임딱지를 12장 가지고 있어.

> 나는 윤우가 가지고 있는 붙임딱지 수의 2배만큼 가지고 있어.

> 나는 민재가 가지고 있는 붙임딱지 수의 3배만큼 가지고 있어.

윤우

민재

은서

**구하려는 것은?** 은서가 가지고 있는 붙임딱지 수

**주어진 것은?**
- 윤우가 가지고 있는 붙임딱지 수: ☐ 장
- 민재가 가지고 있는 붙임딱지 수: 윤우의 ☐ 배
- 은서가 가지고 있는 붙임딱지 수: 민재의 ☐ 배

**어떻게 풀까?**
❶ 민재가 가지고 있는 붙임딱지 수를 구하고,
❷ 은서가 가지고 있는 붙임딱지 수를 구하자.

| 윤우가 가지고 있는 붙임딱지 수 | 민재가 가지고 있는 붙임딱지 수 | 은서가 가지고 있는 붙임딱지 수 |
|---|---|---|

2배 ──→   3배 ──→

**해결해 볼까?**

❶ 민재가 가지고 있는 붙임딱지는 몇 장?

답 _____

❷ 은서가 가지고 있는 붙임딱지는 몇 장?

답 _____

## 어떤 수를 구하여 곱셈하기

ⓒ 연계학습 089쪽

독해 문제 **2**

책꽂이 한 칸에 위인전을 7권씩 꽂았더니 꽂은 위인전이 모두 63권이었습니다. /
위인전을 꽂은 칸마다 동화책도 13권씩 꽂는다면 /
꽂을 수 있는 동화책은 모두 몇 권인가요?

**구하려는 것은?**  꽂을 수 있는 동화책 수

**주어진 것은?**
- 위인전: 한 칸에 ☐권씩 모두 ☐권
- 동화책: 한 칸에 ☐권씩

**어떻게 풀까?**
**1** 한 칸에 꽂은 위인전 수와 전체 꽂은 위인전 수를 이용해 위인전을 꽂은 책꽂이 칸 수를 구하고,
**2** 꽂을 수 있는 동화책 수를 구하자.

**해결해 볼까?**

**❶** 위인전을 꽂은 책꽂이 칸 수를 ☐라 하여 전체 꽂은 위인전 수를 구하는 곱셈식을 세워 보면?

전략 > (책꽂이 한 칸에 꽂은 위인전 수)×(위인전을 꽂은 책꽂이 칸 수)=(전체 꽂은 위인전 수)

식 _____

**❷** 위인전을 꽂은 책꽂이는 몇 칸?

전략 > 곱셈과 나눗셈의 관계를 이용하여 ❶의 ☐의 값을 구하자.

답 _____

**❸** 꽂을 수 있는 동화책은 모두 몇 권?

전략 > (책꽂이 한 칸에 꽂는 동화책 수)×(위인전을 꽂은 책꽂이 칸 수)

답 _____

4

곱셈

# { 수학 **독해력** 완성하기 }

## ☺ ☐ 안에 들어갈 수 있는 수 구하기

**독해 문제 3**

0부터 9까지의 수 중에서 ☐ 안에 들어갈 수 있는 수는 모두 몇 개인가요?

$$41 \times \boxed{\phantom{0}} < 19 \times 6$$

**구하려는 것은?** ☐ 안에 들어갈 수 있는 수의 개수

**주어진 것은?**
- 왼쪽에 주어진 식: $41 \times \boxed{\phantom{0}}$
- 오른쪽에 주어진 식: $19 \times 6$

**어떻게 풀까?**
1️⃣ $19 \times 6$을 계산하고,
2️⃣ 0부터 차례로 ☐ 안에 넣어 주어진 식을 만족하는 수를 모두 찾아보고
3️⃣ ☐ 안에 들어갈 수 있는 수는 모두 몇 개인지 구하자.

**해결해 볼까?**

❶ $19 \times 6$을 계산해 보면?

[전략] 오른쪽에 주어진 식을 먼저 계산해 보자.　　**답** _____

❷ ☐ 안에 들어갈 수 있는 수를 모두 구하면?

[전략] 주어진 식의 ☐ 안에 0부터 차례로 넣어
식을 만족하는 수를 모두 구하자.　　**답** _____

❸ ☐ 안에 들어갈 수 있는 수는 모두 몇 개?

　　**답** _____

## 색 테이프의 길이 구하기

독해 문제
4

길이가 29 cm인 색 테이프 4장을 한 줄로 이어 붙였습니다. /
색 테이프를 4 cm씩 겹쳐서 이어 붙였다면 /
이어 붙인 색 테이프 전체의 길이는 몇 cm인가요?

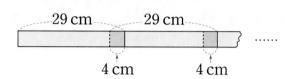

**구하려는 것은?** 이어 붙인 색 테이프 전체의 길이

**주어진 것은?**
• 색 테이프 한 장의 길이: ☐ cm
• 색 테이프의 수: ☐ 장
• 겹쳐진 부분의 길이: ☐ cm

**어떻게 풀까?**
**1** 색 테이프 4장의 길이의 합과 겹쳐진 부분의 길이의 합을 구하여
**2** 위 **1**에서 구한 두 수의 차를 구하여 이어 붙인 색 테이프 전체의 길이를 구하자.

**해결해 볼까?**

❶ 색 테이프 4장의 길이의 합은 몇 cm?

답 _____

❷ 색 테이프 4장을 이어 붙였을 때 겹쳐진 부분은 몇 군데?

전략 (겹쳐진 부분의 수)=(색 테이프의 수)−1    답

❸ 겹쳐진 부분의 길이의 합은 몇 cm?

답 _____

❹ 이어 붙인 색 테이프 전체의 길이는 몇 cm?

답 _____

4

곱셈

95

 **STEP**

## { 창의·융합·코딩 체험하기 }

**융합 1** 오각형 12개, 육각형 20개를 연결해서 만든 축구공입니다./
축구공 7개에는 육각형이 모두 몇 개있나요?

답 _____

---

**4**

**곱셈**

[창의 2~3] 수민이가 동물원에서 본 동물들의 나이입니다./ 물음에 답해 보세요.

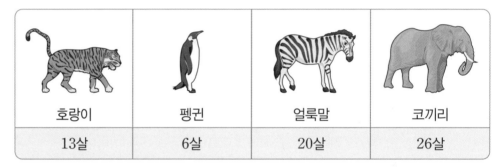

| 호랑이 | 펭귄 | 얼룩말 | 코끼리 |
|:---:|:---:|:---:|:---:|
| 13살 | 6살 | 20살 | 26살 |

**창의 2** 나이가 호랑이의 2배인 동물을 찾아 써 보세요.

답 _____

96

**창의 3** 거북의 나이는 호랑이와 펭귄의 나이를 곱한 만큼입니다. 거북은 몇 살인가요?

거북

? 살

답 _____

[④~⑤] 다른 나라에서 사용하는 돈은 우리나라에서 사용하는 돈과 단위나 액수가 다릅니다./
물음에 답해 보세요.

④ 러시아에서 사용하는 돈의 단위는 루블입니다./
어느 날 러시아 돈 1루블이 우리나라 돈으로 다음과 같을 때/
러시아 돈 3루블은 우리나라 돈으로 얼마인지 ☐ 안에 알맞은 수를 써넣으세요.

⑤ 대만에서 사용하는 돈의 단위는 달러입니다./
어느 날 대만 돈 1달러가 우리나라 돈으로 다음과 같을 때/
대만 돈 8달러는 우리나라 돈으로 얼마인지 ☐ 안에 알맞은 수를 써넣으세요.

자기 나라 돈과 다른 나라 돈을 얼마만큼씩
교환할 수 있느냐가 환율인데 이 환율은 매일 바뀌어.

4

곱셈

97

창의 6 지우가 책상의 길이를 뼘으로 재어 보았습니다./
책상의 길이는 몇 cm인가요?

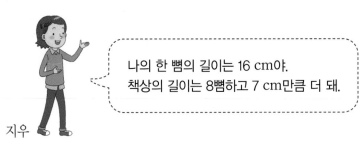

나의 한 뼘의 길이는 16 cm야.
책상의 길이는 8뼘하고 7 cm만큼 더 돼.

지우

답 _____

코딩 7 다음은 두 수의 곱이 100보다 큰지 알아볼 수 있는 순서도입니다./
물음에 답해 보세요.

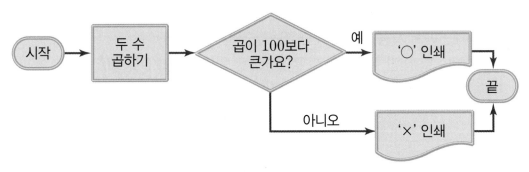

(1) 시작에 30과 4를 넣으면 무엇이 인쇄되나요?

답 _____

(2) 시작에 36과 2를 넣으면 무엇이 인쇄되나요?

답 _____

[ 코딩 8 ~ 9 ] [약속]에 맞게 수를 계산하려고 합니다./ 물음에 답해 보세요.

〔약속〕
→ : 20을 뺍니다.　　　↓ : 3을 곱합니다.
← : 9를 더합니다.　　　↑ : 7을 더합니다.

 **8** 토끼가 출발하여 당근이 있는 곳으로 가려고 합니다./
당근에 들어갈 수를 구해 보세요.

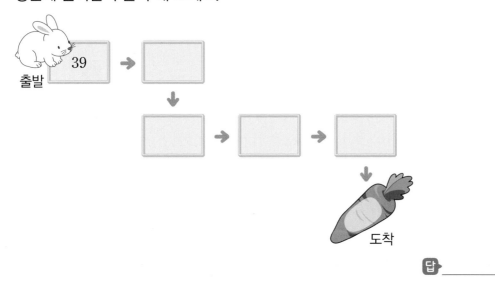

답 _____

 **9** 고양이가 출발하여 생선이 있는 곳으로 가려고 합니다./
생선에 들어갈 수를 구해 보세요.

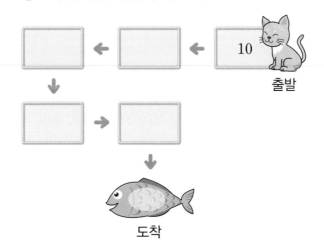

답 _____

**곱셈식 계산하기** 080쪽

**1**
공책이 한 묶음에 20권씩 8묶음 있습니다. 공책은 모두 몇 권인가요?

풀이

답 _____

**크기를 비교하여 곱셈식 계산하기**

**2**
가장 큰 수와 가장 작은 수의 곱을 구해 보세요.

| 55 | 4 | 9 |

풀이

답 _____

4

곱셈

100

**곱셈식 계산하기** 086쪽

**3**
빵이 한 상자에 11개씩 6상자 있습니다. 그중에서 4개를 먹었다면 남은 빵은 몇 개인가요?

풀이

답 _____

**곱의 크기 비교하기** 081쪽

**4** 윤서는 종이학을 하루에 12개씩 5일 동안 접었습니다. 민주가 접은 종이학은 50개일 때 종이학을 더 많이 접은 사람은 누구인가요?

풀이▶

답 _____

**덧셈(뺄셈)을 한 후 곱셈하기** 082쪽

**5** 상자 한 개에 영어 공책 24권, 음악 공책 39권씩 넣었습니다. 상자 3개에 넣은 공책은 모두 몇 권인가요?

풀이▶

답 _____

**곱셈식 계산하기** 092쪽

**6** 정아네 학교 3학년은 한 반에 21명씩 4개 반입니다. 3학년 학생 모두에게 연필을 2자루씩 주려면 연필은 몇 자루 필요한가요?

풀이▶

답 _____

4

곱셈

101

**어떤 수를 구하여 곱셈하기** ⟲089쪽

**7** 어떤 수에 6을 곱해야 할 것을 잘못하여 더했더니 40이 되었습니다. 바르게 계산한 값을 구해 보세요.

풀이

답 _____

**4**

곱셈

102

**덧셈(뺄셈)을 한 후 곱셈하기** ⟲088쪽

**8** 유찬이와 지우가 가지고 있는 구슬 수의 합은 몇 개인가요?

나는 구슬을 21개 가지고 있어.

나는 다영이보다 구슬을 8개 더 적게 가지고 있어.

나는 유찬이가 가지고 있는 구슬 수의 4배만큼 가지고 있어.

다영

유찬

지우

풀이

답 _____

**곱셈식 완성하기** ⌒090쪽

**9** ㉠에 알맞은 수를 구해 보세요.

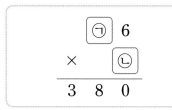

풀이

답 _____

곱셈

**수 카드로 수를 만들어 곱 구하기** ⌒091쪽

**10** 수 카드 중에서 3장을 골라 한 번씩만 사용하여 곱이 가장 작은 (몇십몇)×(몇)을 만들어 계산해 보세요.

풀이

답 _____

# 5 길이와 시간

1 mm를 알아보자.

1 cm를 [ ]칸으로 똑같이 나누었을 때 작은 눈금 한 칸의 길이

읽기 ▶ 1 [            ]

➔ 1 cm = [    ] mm

- 4 cm보다 5 mm 더 긴 것

쓰기 ▶ [  ] cm [  ] mm

읽기 ▶ 4 센티미터 5 밀리미터

4 cm 5 mm = [        ] mm

1 km를 알아보자.

1000 m를 [  ] km라 쓰고, 1 킬로미터라고 읽어.

- 2 km보다 400 m 더 긴 것

쓰기 ▶ [  ] km [      ] m

읽기 ▶ 2 킬로미터 400 미터

2 km 400 m = [        ] m

1초를 알아보자. ✏️

초바늘이 작은 눈금 한 칸을 가는 동안 걸리는 시간

작은 눈금 1칸 = ☐ 초

60초를 알아보자. ✏️

초바늘이 시계를 한 바퀴 도는 데 걸리는 시간

60초 = ☐ 분

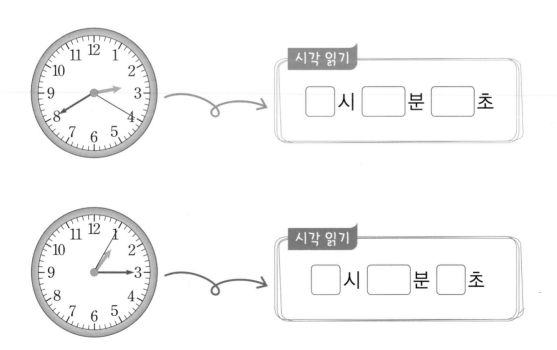

시각 읽기

☐ 시 ☐ 분 ☐ 초

시각 읽기

☐ 시 ☐ 분 ☐ 초

# { 문제 해결력 기르기 }

 **길이 비교하기**

### 선행 문제 해결 전략

 4 cm 5 mm와 42 mm 비교하기

> 단위가 다른 경우에는 **단위를 같은 형태로 나타내어** 비교하자.
>
> 1 cm = 10 mm

**방법1** 몇 mm로 나타내어 비교하기

**4 cm 5 mm = 45 mm**

➡ 45 mm > 42 mm

**방법2** 몇 cm 몇 mm로 나타내어 비교하기

**42 mm = 4 cm 2 mm**

➡ 4 cm 5 mm > 4 cm 2 mm

### 선행 문제 1

주어진 단위로 길이를 나타내어 보세요.

(1)
9 cm 4 mm = ■ mm

풀이 9 cm 4 mm

= ☐ mm + 4 mm

= ☐ mm

(2)
57 mm = ● cm ▲ mm

풀이 57 mm

= ☐ mm + 7 mm

= ☐ cm 7 mm

### 실행 문제 ①

노란색 끈의 길이는 10 cm 5 mm,/
파란색 끈의 길이는 100 mm입니다./
노란색과 파란색 중 더 짧은 끈은 무슨 색인가요?

전략 노란색 끈의 길이를 몇 mm로 나타내어 보자.

❶ 노란색 끈의 길이:

10 cm 5 mm = ☐ mm

전략 ❶에서 구한 노란색 끈의 길이와 파란색 끈의 길이를 비교해 보자.

❷ ☐ mm ◯ 100 mm이므로

더 짧은 끈은 ☐색이다.

답 _____

### 쌍둥이 문제 1-1

연필의 길이는 15 cm 2 mm,/
볼펜의 길이는 139 mm입니다./
연필과 볼펜 중 더 긴 것은 무엇인가요?

실행 문제 따라 풀기

❶

❷

답 _____

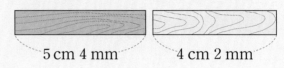

## ② 길이의 합(차) 구하기

예 두 끈의 길이의 합과 차 구하기

5 cm 6 mm          2 cm 3 mm

① 두 끈의 길이의 **합**     ② 두 끈의 길이의 **차**

두 길이를 더하자.          긴 길이에서
                         짧은 길이를 빼자.

```
   5 cm  6 mm              5 cm  6 mm
 + 2 cm  3 mm            − 2 cm  3 mm
 ───────────            ───────────
   7 cm  9 mm              3 cm  3 mm
```

참고 길이의 합과 차를 구할 때
**cm는 cm끼리,**
**mm는 mm끼리 계산한다.**

선행 문제 ❷

두 막대의 길이의 합과 차를 구해 보세요.

5 cm 4 mm          4 cm 2 mm

풀이 두 막대의 길이의 합:

```
   5  cm  4  mm
 + 4  cm  2  mm
 ──────────────
   □ cm  □ mm
```

두 막대의 길이의 차:

```
   5  cm  4  mm
 − 4  cm  2  mm
 ──────────────
   □ cm  □ mm
```

---

실행 문제 ❷

㉠ 막대의 길이는 23 mm이고,/

㉡ 막대의 길이는 3 cm 6 mm입니다./

두 막대의 길이의 합은/

몇 cm 몇 mm인가요?

전략 답을 몇 cm 몇 mm로 구해야 하므로
㉠ 막대의 길이를 몇 cm 몇 mm로 나타내자.

❶ ㉠ 막대의 길이:

23 mm = □ cm □ mm

전략 몇 cm 몇 mm 단위로 고친 것끼리 합을 구하자.

❷ 두 막대의 길이의 합:

```
     □ cm  □ mm
 +   3  cm  6  mm
 ──────────────
     □ cm  □ mm
```

답 _____

쌍둥이 문제 ❷-1

㉠ 막대의 길이는 65 mm이고,/

㉡ 막대의 길이는 3 cm 4 mm입니다./

두 막대의 길이의 합은/

몇 cm 몇 mm인가요?

실행 문제 따라 풀기

❶

❷

답 _____

## ③ 전(후)의 시각 구하기

**선행 문제 해결 전략**

· 7시 20분의 10분 전과 10분 후의 시각 구하기

7시 20분

10분 **전**          10분 **후**

| 7시 20분 |
|---|
| ⊖ 10분 |
| 7시 10분 |

| 7시 20분 |
|---|
| ⊕ 10분 |
| 7시 30분 |

~전의 시각은
**뺄셈**을 이용하자.

~후의 시각은
**덧셈**을 이용하자.

**선행 문제 ③**

주어진 시각을 구하는 식을 완성해 보세요.

(1)

3시 20분에서 20분 전의 시각

풀이 20분 전의 시각을 구해야 하므로
( 덧셈 , **뺄셈** )을 이용한다.

➡ 3시 20분 ◯ 20분

(2)

5시 10분에서 30분 후의 시각

풀이 30분 후의 시각을 구해야 하므로
( 덧셈 , 뺄셈 )을 이용한다.

➡ 5시 10분 ◯ 30분

**실행 문제 ③**

지금 시각은 5시 30분 10초입니다./
100초 후의 시각은 몇 시 몇 분 몇 초인가요?

전략 답을 몇 시 몇 분 몇 초로 구해야 하므로 100초를
몇 분 몇 초로 나타내자.

❶ 100초 = ☐ 초 + 40초

= ☐ 분 40 초

전략 5시 30분 10초에 ❶에서 구한 시간을 더하자.

❷ 5시 30분 10초에서 100초 후의 시각:

```
    5 시   30 분   10 초
+         ☐ 분   ☐ 초
   ☐ 시  ☐ 분   ☐ 초
```

답 _____

**쌍둥이 문제 3-1**

지금 시각은 2시 10분 20초입니다./
150초 후의 시각은 몇 시 몇 분 몇 초인가요?

**실행 문제 따라 풀기**

❶

❷

답 _____

**걸린 시간 구하기**

선행 문제 해결 전략

예 공부를 하는 데 걸린 시간 구하기

공부를      공부를 하는 데      공부를
**시작한 시각**      걸린 시간      **끝낸 시각**

**(걸린 시간)**
**= (끝낸 시각) − (시작한 시각)**

**7**시   **30**분 ← 끝낸 시각
**− 4**시   **10**분 ← 시작한 시각
**3**시간  **20**분

선행 문제 **4**

영화를 상영한 시간을 구하려고 합니다. ☐ 안에 알맞은 수를 써넣으세요.

| 영화가 시작한 시각 | 영화가 끝난 시각 |
|---|---|
| 4시 | 6시 20분 |

풀이 영화를 상영한 시간:

  **6** 시    **20** 분 ← 끝난 시각
**− 4** 시 ← 시작한 시각
  ☐시간 ☐분

실행 문제 **4**

선우가 농구를 하는 데 걸린 시간은 몇 시간 몇 분 몇 초인가요?

시작한 시각      끝낸 시각

❶ 시작한 시각: ☐시 ☐분 ☐초

  끝낸 시각: ☐시 ☐분 ☐초

전략 (농구를 하는 데 걸린 시간)=(끝낸 시각)−(시작한 시각)

❷ 농구를 하는 데 걸린 시간:

  ☐시 ☐분 ☐초
**−** ☐시 ☐분 ☐초
  ☐시간 ☐분 ☐초

답 _____

쌍둥이 문제 **4-1**

윤재가 그림 그리기를 하는 데 걸린 시간은 몇 시간 몇 분 몇 초인가요?

시작한 시각      끝낸 시각

실행 문제 따라 풀기

❶

❷

답 _____

5

길이와 시간

109

## ⑤ 수업이 시작하는 시각 구하기

**선행 문제 해결 전략**

예 **수업 시간이 40분, 쉬는 시간이 10분**이고, 1교시 수업이 오전 9시에 시작할 때, 수업 시작 시각과 끝나는 시각 알아보기

수업이 시작하고 끝나는 과정을 생각하여 계산해 보자.

| 수업 시작 | 수업 시간 +40분 → | 수업 끝 | 쉬는 시간 +10분 → | 수업 시작 |

| 1교시 수업 시작 | 오전 9시 |
| 1교시 수업 끝 | 오전 9시 40분 |
| 2교시 수업 시작 | 오전 9시 50분 |
| 2교시 수업 끝 | 오전 10시 30분 |

+40분
+10분
+40분

**선행 문제 ⑤**

수영 수업 시간이 50분, 쉬는 시간이 20분입니다. 1부 수업이 오후 4시에 시작할 때, 2부 수업이 시작하는 시각은 오후 몇 시 몇 분인지 구해 보세요.

**풀이**

| 1부 수업 시작 | 오후 4시 |
| 1부 수업 끝 | 오후 4시 ☐분 |
| 2부 수업 시작 | 오후 5시 ☐분 |

+50분
+☐분

**실행 문제 ⑤**

선우네 학교는 수업 시간이 40분, 쉬는 시간이 10분입니다. /
1교시 수업이 오전 9시 20분에 시작할 때, /
2교시 수업이 시작하는 시각은 오전 몇 시 몇 분인가요?

[전략] (1교시 수업이 끝나는 시각)
= (1교시 수업이 시작하는 시각) + (수업 시간)

❶ (1교시 수업이 끝나는 시각)
= 오전 9시 20분 + ☐분
= 오전 ☐시

[전략] (2교시 수업이 시작하는 시각)
= (1교시 수업이 끝나는 시각) + (쉬는 시간)

❷ (2교시 수업이 시작하는 시각)
= 오전 ☐시 + ☐분
= 오전 ☐시 ☐분

답 _____

**다르게 풀기**

[전략] 1교시 수업 시작부터 2교시 수업 시작까지는 수업 시간과 쉬는 시간이 1번씩 지나야 하므로 둘의 합을 구하자.

❶ (수업 시간) + (쉬는 시간)
= 40분 + ☐분 = ☐분

[전략] (2교시 수업이 시작하는 시각)
= (1교시 수업이 시작하는 시각) + (❶에서 구한 시간)

❷ (2교시 수업이 시작하는 시각)
= 오전 9시 20분 + ☐분
= 오전 ☐시 ☐분

답 _____

## ⑥ 낮(밤)의 길이 구하기

**선행 문제 해결 전략**

• 낮과 밤의 길이 구하기

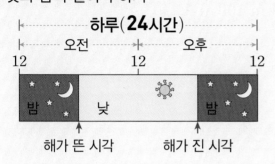

• (낮의 길이)
  =(해가 진 시각)−(해가 뜬 시각)

• (밤의 길이)
  =24시간−(낮의 길이)

참고 하루를 24시간으로 하여 오후의 시각 나타내기

예 오후 5시=(12+5)시=17시
  오후 8시=(12+8)시=20시

**선행 문제 ⑥**

어느 날 해가 뜬 시각과 해가 진 시각을 나타낸 것입니다. 낮의 길이를 구해 보세요.

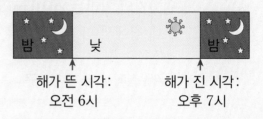

풀이 (해가 진 시각)
  =오후 7시=(☐+7)시=☐시

  (낮의 길이)
  =(해가 진 시각)−(해가 뜬 시각)
  =☐시−6시=☐시간

5

길이와 시간

111

**실행 문제 ⑥**

어느 날 해가 뜬 시각은 오전 6시 31분 22초였고,/
해가 진 시각은 오후 6시 40분 30초였습니다./
이날 낮의 길이는 몇 시간 몇 분 몇 초인가요?

전략 하루를 24시간으로 하여 해가 진 시각을 나타내자.

❶ (해가 진 시각)=오후 6시 40분 30초
  =☐시 40분 30초

전략 (낮의 길이)=(해가 진 시각)−(해가 뜬 시각)

❷ 낮의 길이:

|  ☐ 시 | 40 분 | 30 초 |
|---|---|---|
| − 6 시 | 31 분 | 22 초 |
| ☐시간 | ☐분 | ☐초 |

답 _____

**쌍둥이 문제 6-1**

어느 날 해가 뜬 시각은 오전 5시 25분 40초였고,/
해가 진 시각은 오후 7시 40분 30초였습니다./
이날 낮의 길이는 몇 시간 몇 분 몇 초인가요?

실행 문제 따라 풀기

❶

❷

답 _____

# 수학 사고력 키우기

## 길이 비교하기

연계학습 106쪽

**대표 문제 1**

은우네 집에서 수영장까지의 거리는 2 km 100 m이고,
공원까지의 거리는 2010 m입니다. /
은우네 집에서 더 가까운 곳은 어디인가요?

**구하려는 것은?** 은우네 집에서 더 가까운 곳

**주어진 것은?**

• 은우네 집에서 수영장까지의 거리: 2 km ☐ m

• 은우네 집에서 공원까지의 거리: ☐ m

**해결해 볼까?**

❶ 은우네 집에서 수영장까지의 거리는 몇 m?

[전략] 1 km＝1000 m임을 이용하여
2 km 100 m를 몇 m로 나타내어 보자.

답 _____

❷ 은우네 집에서 더 가까운 곳은?

답 _____

**쌍둥이 문제 1-1**

학교에서 영진이네 집까지의 거리는 4 km 250 m이고,
수민이네 집까지의 거리는 4900 m입니다. /
학교에서 더 먼 곳은 누구네 집인가요?

**대표 문제 따라 풀기**

❶

❷

답 _____

# 길이의 합(차) 구하기

연계학습 107쪽

**대표 문제 2**

집에서 도서관까지 가는 데 길이 두 가지가 있습니다. /
두 길의 거리의 차는 몇 km 몇 m인가요?

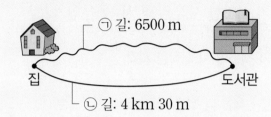

☺ **구하려는 것은?**

두 길의 거리의 차

☺ **어떻게 풀까?**

1 ㉠ 길의 거리를 몇 km 몇 m로 나타내고 2 거리를 비교하여 차를 구하자.

☺ **해결해 볼까?**

❶ ㉠ 길은 몇 km 몇 m?

전략> 답을 몇 km 몇 m로 구해야 하므로 ㉠ 길의 거리를 몇 km 몇 m로 나타내어 보자.

답 _____

❷ 두 길 중 더 먼 길은?

전략> 두 길의 거리를 비교하여 더 먼 길을 찾아보자.

답 _____

❸ 두 길의 거리의 차는 몇 km 몇 m?

답 _____

**쌍둥이 문제 2-1**

병원에서 슈퍼마켓까지의 거리와 병원에서 우체국까지의 거리의 차는 몇 km 몇 m인가요?

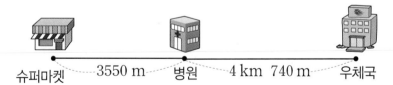

☺ **대표 문제 따라 풀기**

❶

❷

❸

답 _____

## { 수학 사고력 키우기 }

### 😊 전(후)의 시각 구하기

🟢 연계학습 108쪽

**대표 문제 ❸**

유빈이가 책을 다 읽은 시각은 5시 20분이었습니다./
유빈이가 1시간 15분 동안 책을 읽었다면/
책을 읽기 시작한 시각은 몇 시 몇 분인가요?

😊 **구하려는 것은?**   유빈이가 책을 읽기 시작한 시각

🐻 **주어진 것은?**

• 유빈이가 책을 다 읽은 시각: 5시 ☐ 분

• 책을 읽은 시간: ☐ 시간 ☐ 분

🐻 **해결해 볼까?**   ❶ 알맞은 말에 ○표 하기

> 책을 읽기 시작한 시각을 구하려면 책을 다 읽은 시각에서
> 1시간 15분 ( 전 , 후 )의 시각을 구한다.

❷ 유빈이가 책을 읽기 시작한 시각은 몇 시 몇 분?

**전략** (책을 다 읽은 시각)−(책을 읽은 시간)

답 _____

**쌍둥이 문제 3-1**

진영이가 학교에서 출발하여 집에 도착하는 데 20분 30초가 걸렸습니다./
집에 도착한 시각이 1시 50분 40초일 때/
학교에서 출발한 시각은 몇 시 몇 분 몇 초인가요?

😊 **대표 문제 따라 풀기**

❶

❷

답 _____

## 😊 걸린 시간 구하기

ⓒ 연계학습 109쪽

**대표 문제 4** 아린이와 윤우 중에서 운동을 더 오래 한 사람은 누구인지 이름을 써 보세요.

난 운동을 5시 10분부터
5시 55분까지 했어.

난 운동을 3시 5분부터
3시 40분까지 했어.

아린       윤우

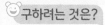 **구하려는 것은?**
운동을 더 오래 한 사람

**어떻게 풀까?**
1 아린이와 윤우가 운동한 시간을 각각 구한 다음,
2 시간을 비교하여 운동을 더 오래 한 사람을 찾아보자.

**해결해 볼까?**

❶ 아린이가 운동을 한 시간은 몇 분?

답 _____

❷ 윤우가 운동을 한 시간은 몇 분?

답 _____

❸ 운동을 더 오래 한 사람은?

답 _____

**쌍둥이 문제 4-1**

은서와 유찬이 중에서 공부를 더 오래 한 사람은 누구인시 이름을 써 보세요.

난 공부를 3시 45분부터
4시 55분까지 했어.

난 공부를 2시 5분부터
3시 50분까지 했어.

은서       유찬

 **대표 문제 따라 풀기**

❶

❷

❸

답 _____

😊 **수업이 시작하는 시각 구하기**

🄲 연계학습 110쪽

**대표 문제 5**

은지가 본 공연 관람 시간표입니다. /
1부 공연이 오후 4시 30분 10초에 시작했을 때 /
2부 공연이 끝난 시각은 오후 몇 시 몇 분 몇 초인 가요?

| 1부 공연 시간 | 45분 15초 |
| --- | --- |
| 휴식 시간 | 15분 |
| 2부 공연 시간 | 52분 30초 |

😊 **구하려는 것은?**

2부 공연이 끝난 시각

😊 **어떻게 풀까?**

1부 공연 시작 → 공연 시간 +45분 15초 → 1부 공연 끝 → 휴식 시간 +15분 → 2부 공연 시작 → 공연 시간 +52분 30초 → 2부 공연 끝

😊 **해결해 볼까?**

❶ 1부 공연이 끝난 시각은 오후 몇 시 몇 분 몇 초?

답 _____

❷ 2부 공연이 시작한 시각은 오후 몇 시 몇 분 몇 초?

답 _____

❸ 2부 공연이 끝난 시각은 오후 몇 시 몇 분 몇 초?

답 _____

**쌍둥이 문제 5-1**

민우가 참여한 체험 학습 시간표입니다. /
1부 체험이 오후 1시 10분 30초에 시작했을 때 /
2부 체험이 끝난 시각은 오후 몇 시 몇 분 몇 초인가요?

| 1부 체험 시간 | 40분 10초 |
| --- | --- |
| 휴식 시간 | 10분 |
| 2부 체험 시간 | 35분 40초 |

😊 **대표 문제 따라 풀기**

❶

❷

❸

답 _____

# 낮(밤)의 길이 구하기

ⓒ 연계학습 111쪽

**대표 문제 6**

어느 날 해가 뜬 시각은 오전 5시 12분 30초였고, /
해가 진 시각은 오후 7시 20분 50초였습니다. /
이날 밤의 길이는 몇 시간 몇 분 몇 초인가요?

**구하려는 것은?**

밤의 길이

**어떻게 풀까?**

① 하루를 24시간으로 하여 해가 진 시각을 나타낸 다음 낮의 길이를 구하고,
② 하루가 24시간임을 이용하여 밤의 길이를 구하자.

**해결해 볼까?**

❶ 하루를 24시간으로 하여 해가 진 시각을 나타내면?

전략 오후 ■시＝(12＋■)시          답 _____

❷ 낮의 길이는 몇 시간 몇 분 몇 초?

전략 (낮의 길이)＝(해가 진 시각)－(해가 뜬 시각)          답 _____

❸ 밤의 길이는 몇 시간 몇 분 몇 초?

전략 (밤의 길이)＝24시간－(낮의 길이)          답 _____

**쌍둥이 문제**

**6-1**

어느 날 해가 뜬 시각은 오전 7시 15분 40초였고, /
해가 진 시각은 오후 5시 50분 50초였습니다. /
이날 밤의 길이는 몇 시간 몇 분 몇 초인가요?

**대표 문제 따라 풀기**

❶

❷

❸

답 _____

5

길이와 시간

STEP

## { 수학 **독해력** 완성하기 }

😊 **걸린 시간 구하기**

독해 문제
**1**

꽃 축제에서 체험 시간을 나타낸 것입니다. /
민정이가 참가한 체험은 10시 20분에 시작하여 10시 52분에 끝났습니다. /
민정이가 참가한 체험은 무엇인가요?

| 꽃 편지 만들기<br>(25분) | 꽃 그리기<br>(32분) | 화분 만들기<br>(27분) |
|---|---|---|

**5**

길이와 시간

118

😊 **구하려는 것은?**  민정이가 참가한 체험

😐 **주어진 것은?**
- 체험이 시작한 시각: 10시 ☐ 분
- 체험이 끝난 시각: 10시 ☐ 분
- 각각 체험을 하는 데 걸리는 시간

😊 **어떻게 풀까?**  1 체험을 하는 데 걸린 시간을 구하여
2 민정이가 참가한 체험을 찾아보자.

😊 **해결해 볼까?**

❶ 민정이가 체험을 하는 데 걸린 시간은 몇 분?

전략 (끝난 시각)-(시작한 시각)    답 _____

❷ 민정이가 참가한 체험은?

답 _____

## 길이의 합(차) 구하기

연계학습 113쪽

독해 문제 2

㉠에서 ㉡까지의 거리는 몇 km 몇 m인가요?

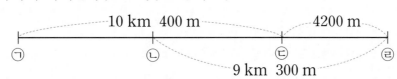

😊 **구하려는 것은?** ㉠에서 [ ]까지의 거리

🐻 **주어진 것은?**
• ㉠에서 ㉢까지의 거리: 10 km [ ] m
• ㉢에서 ㉣까지의 거리: [ ] m
• ㉡에서 ㉣까지의 거리: 9 km [ ] m

😊 **어떻게 풀까?**
1 ㉢에서 ㉣까지의 거리를 몇 km 몇 m로 나타내고,
2 ㉠에서 ㉣까지의 거리를 구한 다음 ㉡에서 ㉣까지의 거리를 빼서 ㉠에서 ㉡까지의 거리를 구하자.

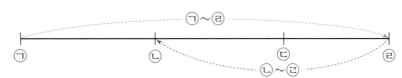

😊 **해결해 볼까?**

❶ ㉢에서 ㉣까지의 거리는 몇 km 몇 m?

답 _____

❷ ㉠에서 ㉣까지의 거리는 몇 km 몇 m?

전략 (㉠에서 ㉢까지의 거리)＋(㉢에서 ㉣까지의 거리) 답 _____

❸ ㉠에서 ㉡까지의 거리는 몇 km 몇 m?

전략 (㉠에서 ㉣까지의 거리)－(㉡에서 ㉣까지의 거리) 답 _____

5

길이와 시간

119

## { 수학 독해력 완성하기 }

☺ **주어진 상황을 이용하여 시간 구하기**

**독해 문제 3**

유진이는 친구와 놀이터에서 오전 11시 50분에 만나기로 했고, /
유진이네 집에서 놀이터까지 가는 데는 25분이 걸립니다. /
현재 시각이 오전 11시 15분 45초일 때/
유진이가 친구와 만나기로 한 시각에 정확히 도착하려면/
현재 시각부터 몇 분 몇 초 후 집에서 출발해야 하나요?

😊 **구하려는 것은?**  현재 시각부터 유진이가 집에서 출발해야 할 때까지의 시간

🐹 **주어진 것은?**
• 유진이가 친구와 놀이터에서 만나기로 한 시각: 오전 ☐시 ☐분
• 유진이네 집에서 놀이터까지 가는 데 걸리는 시간: ☐분
• 현재 시각: 오전 ☐시 ☐분 ☐초

😊 **어떻게 풀까?**
1️⃣ 유진이가 집에서 출발해야 할 시각을 구하고,
2️⃣ 만나기로 한 시각에 정확히 도착하려면 현재 시각부터 몇 분 몇 초 후에 집에서 출발해야 하는지 구하자.

😊 **해결해 볼까?**

❶ 유진이가 집에서 출발해야 할 시각은 오전 몇 시 몇 분?

〔전략〕 (만나기로 한 시각)-(가는 데 걸리는 시간)    답

❷ 만나기로 한 시각에 정확히 도착하려면 현재 시각부터 몇 분 몇 초 후에 출발해야 하는지 구하면?

〔전략〕 (출발해야 할 시각)-(현재 시각)    답

## 고장난 시계의 시각 구하기

**독해 문제 4**

하루에 10초씩 느려지는 시계가 있습니다. /
어느 날 이 시계를 오전 10시에 정확하게 맞추어 놓았다면/
7일 후 오전 10시에 이 시계가 가리키는 시각은 오전 몇 시 몇 분 몇 초인가요?

**구하려는 것은?** 7일 후 오전 10시에 고장난 시계가 가리키는 시각

**주어진 것은?**
• 하루에 느려지는 시간: ☐ 초
• 정확하게 맞추어 놓은 시각: 오전 ☐ 시
• 다시 시각을 확인하는 날: ☐ 일 후

**어떻게 풀까?**
1 7일 동안 느려지는 전체 시간을 구하고,
2 시각을 다시 확인할 때 시계가 가리키는 시각을 구하자.

**해결해 볼까?**

❶ 이 시계가 7일 동안 느려지는 시간은 몇 초?

전략 (하루에 느려지는 시간)×(날 수)

답 _____

❷ 이 시계가 7일 동안 느려지는 시간을 몇 분 몇 초로 나타내면?

답 _____

❸ 7일 후 오전 10시에 이 시계가 가리키는 시각은 오전 몇 시 몇 분 몇 초?

답 _____

5

길 이 와 시 간

121

# STEP 4

## { 창의·융합·코딩 체험하기 }

**융합 ①** 세영이가 민속놀이 체험을 하는 데 걸린 시간을 나타낸 것입니다./
제기차기와 연날리기 체험을 하는 데 걸린 시간은 몇 분 몇 초인가요?

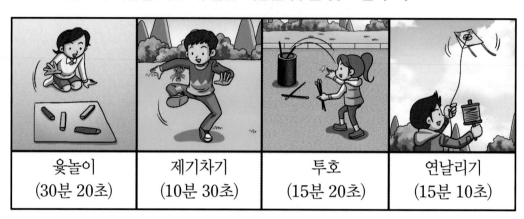

| 윷놀이<br>(30분 20초) | 제기차기<br>(10분 30초) | 투호<br>(15분 20초) | 연날리기<br>(15분 10초) |
|---|---|---|---|

답 _____

**융합 ②** 알맞은 단위를 알아보려고 합니다./
다음을 보고 알맞은 단위에 ○표 하세요.

(1)

기린의 키

( km , m )

(2)

서울에서 부산까지의 거리

( km , m )

[창의 3~4] 서윤이는 컵케이크를 만들기 위해 계획표를 세우려고 합니다./
물음에 답해 보세요.

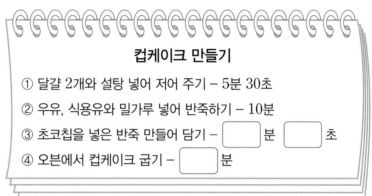

**컵케이크 만들기**

① 달걀 2개와 설탕 넣어 저어 주기 – 5분 30초

② 우유, 식용유와 밀가루 넣어 반죽하기 – 10분

③ 초코칩을 넣은 반죽 만들어 담기 – ☐ 분 ☐ 초

④ 오븐에서 컵케이크 굽기 – ☐ 분

 **창의 3**  서윤이의 말을 읽고,/ ③에서 걸리는 시간은 몇 분 몇 초인지 구해 보세요.

> ③에서 걸리는 시간은
> ①에서 걸리는 시간과 ②에서 걸리는 시간의 합과 같아요.

서윤

 답 _____

5

길이와 시간

123

 **창의 4**  서윤이의 말을 읽고,/ ④에서 걸리는 시간은 몇 분인지 구해 보세요.

> ④에서 걸리는 시간은
> ③에서 걸리는 시간보다 11분 30초만큼 더 걸려요.

서윤

답 _____

코딩 5  어느 주민센터에 있는 로봇은 플라스틱 쓰레기를 가장 긴 쪽의 길이에 따라 분리한 후/
색깔 스티커를 붙입니다./
로봇이 다음 순서도에 따라 일을 할 때/ 분리 후 나오는 스티커는 무슨 색인가요?

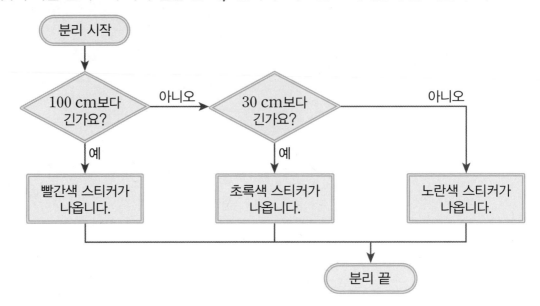

(1)

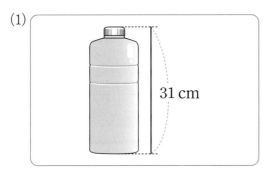

31 cm

답 _____

(2)

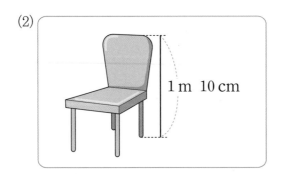

1 m  10 cm

답 _____

[ 창의 6 ~ 7 ] 다영이와 언니가 집에서 나눈 대화를 읽고 물음에 답해 보세요.

언니~ 나 책 반납하러 도서관에 갔다 올게.

잘 갔다 와~ 언니는 학원에 갔다 올 거야.

다영          언니

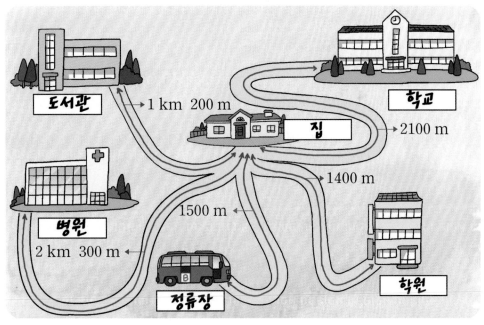

도서관  ← 1 km 200 m

집  → 2100 m

학교

1400 m

1500 m ←

병원

2 km 300 m ←

정류장

학원

5

길이와 시간

 6  오늘 다영이가 이동하게 될 거리는 몇 km 몇 m인가요?

 답 _____

125

 7  오늘 언니가 이동하게 될 거리는 몇 km 몇 m인가요?

 답 _____

**길이를 주어진 단위로 나타내기**

**1** 지우개의 길이를 자로 재어 보니 4 cm 3 mm였습니다. 지우개의 길이는 몇 mm인가요?

 풀이

답 _____

**시간 비교하기**

**2** 유빈이와 희민이의 오래 매달리기 기록입니다. 더 오래 매달린 사람은 누구인지 이름을 써 보세요.

유빈: 2분 10초          희민: 160초

 풀이

답 _____

**길이의 합(차) 구하기** 🔄107쪽

**3** 승재는 자전거를 타고 둘레가 1100 m인 호수를 2바퀴 달렸습니다. 승재가 자전거를 타고 달린 거리는 몇 km 몇 m인가요?

 풀이

답 _____

**전(후)의 시각 구하기**  108쪽

**4** 지금 시각은 오른쪽과 같습니다. 지금부터 1시간 20분 후의 시각은 몇 시 몇 분인가요?

풀이

답 _____

**전(후)의 시각 구하기** 114쪽

**5** 선아가 청소를 끝낸 시각은 3시 40분 20초였습니다. 선아가 1시간 25분 동안 청소를 했다면 청소를 시작한 시각은 몇 시 몇 분 몇 초인가요?

풀이

답 _____

127

길이와 시간

5

**길이의 합(차) 구하기** 113쪽

**6** 하린이는 색 테이프를 45 cm 7 mm 가지고 있었는데 선물 상자를 묶는 데 204 mm를 사용했습니다. 남은 색 테이프의 길이는 몇 cm 몇 mm인가요?

풀이

답 _____

{ 실전 **마무리** 하기 }

**길이의 합(차) 구하기** ↻119쪽

**7** ㉡에서 ㉢까지의 거리는 몇 km 몇 m인가요?

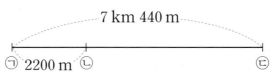

**풀이**

**답**_____

**수업이 시작하는 시각 구하기** ↻116쪽

**8** 체육관에서 농구 수업 시간이 50분, 쉬는 시간이 20분입니다. 1부 수업이 3시 20분에 시작할 때, 2부 수업이 끝나는 시각은 몇 시 몇 분인가요?

**풀이**

**답**_____

**걸린 시간 구하기** 115쪽

**9** 은지와 원용이가 독서를 시작한 시각과 끝낸 시각을 나타낸 것입니다. 독서를 더 오래 한 사람은 누구인지 이름을 써 보세요.

| 이름 | 시작한 시각 | 끝낸 시각 |
|------|-------------|-----------|
| 은지 | 5시 40분 30초 | 6시 50분 55초 |
| 원용 | 3시 5분 10초 | 4시 20분 40초 |

풀이

답 _____

**낮(밤)의 길이 구하기** 117쪽

**10** 어느 날 해가 뜬 시각은 오전 5시 40분 10초였고, 해가 진 시각은 오후 7시 22분 20초였습니다. 이날 밤의 길이는 몇 시간 몇 분 몇 초인가요?

풀이

답 _____

# 6 분수와 소수

## FUN 한 이야기

냉장고에 주스가 있어요.

윤석이는 전체의 $\frac{3}{10}$ 만큼보다 더 마시고 싶었어요.

그래서 전체의 0.3만큼 마시기로 했어요.

전체의 $\frac{3}{10}$ 과 전체의 0.3을 비교해 볼까요?

냉장고에 주스가 있어요. /

윤석이는 전체의 $\frac{3}{10}$을 마시려다가 전체의 0.3을 마시기로 했어요. /

전체의 $\frac{3}{10}$과 전체의 0.3을 비교해 볼까요?

오른쪽 그림에
0.3만큼 아래에서부터 색칠해 봐.

전체의 $\frac{3}{10}$ 만큼

전체의 0.3 만큼

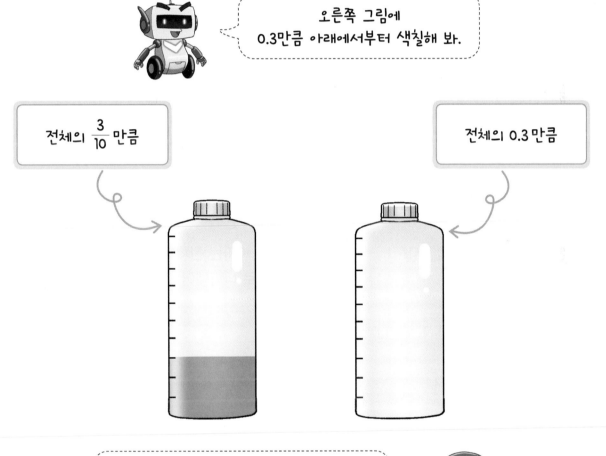

위 그림에서 주스의 양을 비교하여
◯ 안에 >, =, <를 알맞게 써넣어 봐.

$\frac{3}{10}$ ◯ 0.3

**답** ➤ $\frac{3}{10}$과 0.3은 ( 같습니다 , 다릅니다 ).

# 문제 해결력 기르기

## 1 남은 부분을 분수로 나타내기

### 선행 문제 해결 전략

분수로 나타낼 때에는
① **전체를 똑같이 나눈 수**와
② **구하려는 부분의 수**를 알아보자.

예 색칠하지 않은 부분을 분수로 나타내기

① 전체를 똑같이 나눈 수 : 3
② 색칠하지 않은 부분의 수 : 2

$$\frac{(색칠하지\ 않은\ 부분의\ 수)}{(전체를\ 똑같이\ 나눈\ 수)} = \frac{2}{3}$$

### 선행 문제 1

색칠하지 않은 부분을 분수로 나타내어 보세요.

풀이 전체를 똑같이 나눈 수 : ☐

색칠하지 않은 부분의 수 : ☐

➡ 색칠하지 않은 부분을 분수로

나타내기 : $\dfrac{☐}{☐}$

### 실행 문제 1

떡을 똑같이 9조각으로 나누어 7조각을 먹었습니다./
남은 떡은 전체의 몇 분의 몇인지/
분수로 나타내어 보세요.

❶ 전체를 똑같이 나눈 조각 수 : ☐조각

전략 (남은 조각 수)=(전체 조각 수)−(먹은 조각 수)

❷ 남은 조각 수 : 9−☐=☐(조각)

전략 분수로 나타내기 : $\dfrac{(남은\ 조각\ 수)}{(전체를\ 똑같이\ 나눈\ 조각\ 수)}$

❸ 남은 떡을 분수로 나타내기 : $\dfrac{☐}{☐}$

답 _____

### 쌍둥이 문제 1-1

피자를 똑같이 8조각으로 나누어 3조각을 먹었습니다./
남은 피자는 전체의 몇 분의 몇인지/
분수로 나타내어 보세요.

실행 문제 따라 풀기

❶

❷

❸

답 _____

## ② 수 카드로 조건에 맞는 수 만들기

 예 수 카드 한 장을 골라 그 수를 분자로 하여 분모가 7인 분수 만들기

 분모에 **7**을 쓰고 **분자에 수 카드의 수를** 써서 분수를 만들자.

분모가 7인 분수 만들기:

$$\frac{2}{7} , \frac{3}{7} , \frac{4}{7}$$

참고 분모가 같은 분수는 분자가 클수록 크다.

예 $\dfrac{2}{7} < \dfrac{3}{7}$

---

선행 문제 ②

수 카드 한 장을 골라 그 수를 분자로 하여 분모가 5인 분수를 만들어 보세요.

풀이 분모에 5를 쓰고, 분자에 1, ☐, ☐을 써서 분수를 만든다.

→ $\dfrac{1}{5}$, $\dfrac{\Box}{5}$, $\dfrac{\Box}{5}$

---

실행 문제 ②

3장의 수 카드 중 한 장을 골라/
그 수를 분자로 하는 분모가 9인 분수 중
가장 큰 분수를 만들어 보세요.

❶ 분모가 9인 분수 중 가장 큰 분수를 만들려면 분자에 가장 ( 작은 , 큰 ) 수를 놓아야 한다.

❷ 수 카드의 수의 크기 비교하기:
☐ > ☐ > ☐

전략 분자가 클수록 큰 분수이다.

❸ 분모가 9인 분수 중 가장 큰 분수 만들기:
$$\frac{\Box}{9}$$

답 _____

---

쌍둥이 문제 2-1

3장의 수 카드 중 한 장을 골라/
그 수를 분자로 하는 분모가 7인 분수 중
가장 작은 분수를 만들어 보세요.

실행 문제 따라 풀기

❶

❷

❸

답 _____

**③ 조건에 맞는 수 구하기**

### 선행 문제 해결 전략

예 1부터 9까지의 수 중에서 □ 안에 알맞은 수 구하기

$$\frac{1}{5} < \frac{1}{\square} < \frac{1}{3}$$

단위분수일 때 분모가 작을수록 더 큰 수야.

① 분자가 **1**로 같으므로 단위분수이다.

② 분모의 크기를 비교한다.
→ **3** < □ < **5**이므로
□ 안에 알맞은 수는 4이다.

### 선행 문제 ③

1부터 9까지의 수 중에서 □ 안에 알맞은 수를 모두 구해 보세요.

$$\frac{1}{9} < \frac{1}{\square} < \frac{1}{6}$$

풀이 ① 분자가 1로 같다.

② 분모의 크기를 비교하면
6 < □ < ☐ 이므로 □ 안에 알맞은 수는 ☐ , ☐ 이다.

### 실행 문제 ③

단위분수 중에서 /
$\frac{1}{7}$보다 크고 $\frac{1}{4}$보다 작은 분수를
모두 구해 보세요.

❶ 단위분수는 분모가 ( 작을수록 , 클수록 ) 크다.

전략 분모가 4보다 크고 7보다 작은 단위분수를 구하자.

❷ $\frac{1}{7}$보다 크고 $\frac{1}{4}$보다 작은 단위분수:

$$\frac{1}{\square} , \frac{1}{\square}$$

답 _____

### 쌍둥이 문제 3-1

단위분수 중에서 /
$\frac{1}{6}$보다 크고 $\frac{1}{2}$보다 작은 분수를
모두 구해 보세요.

실행 문제 따라 풀기

❶

❷

답 _____

④ 소수의 크기를 비교하여 □ 안에 알맞은 수 구하기

**선행 문제 해결 전략**

예 1부터 9까지의 수 중에서 □ 안에 알맞은 수 구하기

같다.
**2.5 < 2.□**
5 < □

자연수 부분의 크기가 같을 때 소수 부분의 크기가 클수록 더 큰 수야.

① **자연수 부분의 크기가 같다.**

② **소수 부분의 크기를 비교한다.**
→ **5 < □** 이므로
□ 안에 알맞은 수는 **6, 7, 8, 9**이다.

**선행 문제 4**

1부터 9까지의 수 중에서 □ 안에 알맞은 수를 모두 구해 보세요.

1.7 < 1.□

풀이 ① 자연수 부분의 크기가
( 같다 , 다르다 ).

② 소수 부분의 크기 비교하기:
□ < □ 이므로 □ 안에 알맞은
수는 □ , □ 이다.

**실행 문제 4**

1부터 9까지의 자연수 중에서 /
□ 안에 알맞은 수를 모두 구해 보세요.

5.5 < 5.□ < 5.8

❶ 자연수 부분의 크기 비교하기:
( 같다 , 다르다 ).

❷ 소수 부분의 크기 비교하기:
□ < □ < □

전략 ❷에서 구한 □의 범위에 맞는 자연수를 찾자.

❸ □ 안에 알맞은 수: □ , □

**쌍둥이 문제 4-1**

1부터 9까지의 자연수 중에서 /
□ 안에 알맞은 수를 모두 구해 보세요.

4.1 < 4.□ < 4.5

실행 문제 따라 풀기

❶

❷

❸

답 _____

답 _____

# 수학 사고력 키우기

😊 **남은 부분을 분수로 나타내기**

ⓒ 연계학습 132쪽

**대표 문제 1**

진현이와 준영이는 초콜릿 한 개를 똑같이 8조각으로 나누어/
진현이는 3조각을 먹었고, 준영이는 2조각을 먹었습니다./
두 사람이 먹고 남은 초콜릿은 전체의 몇 분의 몇인가요?

😊 **구하려는 것은?**

두 사람이 먹고 남은 초콜릿은 전체의 몇 분의 몇

🐻 **주어진 것은?**

• 전체 초콜릿 조각 수: 8조각

• 진현이가 먹은 초콜릿 조각 수: ☐조각

• 준영이가 먹은 초콜릿 조각 수: ☐조각

🐻 **해결해 볼까?**

❶ 진현이와 준영이가 먹고 남은 초콜릿은 몇 조각?

답 _____

❷ 두 사람이 먹고 남은 초콜릿은 전체의 몇 분의 몇?

전략 　(❶에서 구한 먹고 남은 초콜릿 조각 수)
　　(전체를 똑같이 나눈 초콜릿 조각 수)

답 _____

**쌍둥이 문제 1-1**

미선이와 현중이는 식빵 한 개를 똑같이 10조각으로 나누어/
미선이는 4조각을 먹었고, 현중이는 5조각을 먹었습니다./
두 사람이 먹고 남은 식빵은 전체의 몇 분의 몇인가요?

😊 **대표 문제 따라 풀기**

❶

❷

답 _____

## 😊 수 카드로 조건에 맞는 수 만들기

🌀 연계학습 133쪽

**대표 문제 ②** 3장의 수 카드 중 한 장을 골라/
그 수를 분모로 하는 분자가 1인 분수 중 가장 큰 분수를 만들어 보세요.

😊 **구하려는 것은?**  분자가 1인 분수 중 가장 큰 분수

😊 **어떻게 풀까?**
1 분자가 1인 분수의 크기가 크려면 분모가 작아야 하는지 커야 하는지 알아본 후
2 수 카드의 수의 크기를 비교해 보고 가장 큰 분수를 만들어 보자.

😊 **해결해 볼까?**

❶ 알맞은 말에 ○표 하기

> 분자가 1인 분수는 분모가 ( 작을수록 , 클수록 ) 크다.

❷ 수 카드의 수의 크기를 비교하면?

답 $\boxed{\phantom{0}} < \boxed{\phantom{0}} < \boxed{\phantom{0}}$

❸ 분자가 1인 분수 중 가장 큰 분수는?

답 _____

**6**

분수와 소수

137

**쌍둥이 문제 2-1**

3장의 수 카드 중 한 장을 골라/
그 수를 분모로 하는 분자가 1인 분수 중 가장 작은 분수를 만들어 보세요.

😊 **대표 문제 따라 풀기**

❶

❷

❸

답 _____

# { 수학 사고력 키우기 }

😊 **조건에 맞는 수 구하기**

ⓒ 연계학습 134쪽

**대표 문제 3**

분모가 7인 분수 중에서/ $\frac{2}{7}$보다 크고 $\frac{6}{7}$보다 작은 분수는/ 모두 몇 개인가요?

🐻 **주어진 것은?**

• 분모: 7

• $\frac{2}{7}$보다 크고 $\frac{\square}{7}$보다 작은 분수

😊 **해결해 볼까?**

❶ 알맞은 말에 ○표 하기

> 분모가 같은 분수는 분자가 ( 작을수록 , 클수록 ) 크다.

❷ 분모가 7인 분수 중에서 $\frac{2}{7}$보다 크고 $\frac{6}{7}$보다 작은 분수를 모두 구하면?

답 _____

❸ 위 ❷에서 구한 분수는 모두 몇 개?

답 _____

**쌍둥이 문제 3-1**

분모가 8인 분수 중에서/ $\frac{3}{8}$보다 크고 $\frac{7}{8}$보다 작은 분수는/ 모두 몇 개인가요?

😊 **대표 문제 따라 풀기**

❶

❷

❸

답 _____

## 😊 소수의 크기를 비교하여 □ 안에 알맞은 수 구하기

ⓒ 연계학습 135쪽

**대표 문제 ❹**  1부터 9까지의 자연수 중에서／□ 안에 알맞은 수를 모두 구해 보세요.

$$5.8 < □.4 < 8.6$$

😊 **구하려는 것은?**  □ 안에 알맞은 수

😊 **어떻게 풀까?**
① 5.8<□.4의 □ 안에 알맞은 수를 모두 구하고,
② 위 ①에서 찾은 자연수 중에서 □.4<8.6의 □ 안에 알맞은 수를 모두 구하자.

😊 **해결해 볼까?**

❶ 5.8<□.4의 □ 안에 알맞은 수를 모두 구하면?

전략〉 소수 부분을 비교하여 □ 안에 알맞은 수를 찾자.     답 _____

❷ 위 ❶에서 찾은 수 중에서 □.4<8.6의 □ 안에 알맞은 수를 모두 구하면?

전략〉 ❶에서 찾은 수를 □ 안에 차례로 넣어 보자.     답 _____

❸ 5.8<□.4<8.6의 □ 안에 알맞은 수를 모두 구하면?

답 _____

**6**

**분수와 소수**

139

**쌍둥이 문제 4-1**

1부터 9까지의 자연수 중에서／□ 안에 알맞은 수를 모두 구해 보세요.

$$6.1 < □.5 < 9.7$$

😊 **대표 문제 따라 풀기**

❶

❷

❸

답 _____

# { 수학 독해력 완성하기 }

## ☺ 소수로 나타내기

**독해 문제 1**

끈 1 m를 똑같이 10조각으로 나누어 그중 6조각을 사용했습니다. /
사용한 끈의 길이는 몇 m인지 소수로 나타내어 보세요.

1 m

**해결해 볼까?** ❶ 사용한 끈의 길이를 분수로 나타내면 몇 m?

답 _____

❷ 위 ❶에서 구한 길이를 소수로 나타내면 몇 m?

답 _____

## ☺ 몇 cm로 나타내어 길이 비교하기

**독해 문제 2**

미술 시간에 사용한 철사의 길이가/
상현이는 10.5 cm였고, 민주는 9 cm 7 mm였습니다. /
철사를 더 많이 사용한 사람은 누구인가요?

**해결해 볼까?** ❶ 민주가 사용한 철사의 길이를 cm 단위로 나타내면?

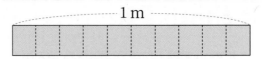
전략 1 mm=0.1 cm임을 이용하자.    답 _____

❷ 상현이와 민주가 사용한 철사의 길이를 비교하면?

전략 10.5 cm와 ❶에서 구한 길이를
비교하자.    답 10.5 cm ◯ [       ] cm

❸ 철사를 더 많이 사용한 사람은?

답 _____

## 전체의 분수만큼 구하기

독해 문제 3

현주네 가족은 케이크를 똑같이 8조각으로 나누어/ 전체의 $\frac{3}{4}$만큼 먹었습니다./
현주네 가족이 먹은 케이크는 몇 조각인가요?

**해결해 볼까?**

❶ 케이크를 똑같이 8조각으로 나누었을 때 전체의 $\frac{1}{4}$만큼
색칠해 보고 몇 조각인지 구하면?

답 _____

❷ $\frac{3}{4}$은 $\frac{1}{4}$이 몇 개?

답 _____

❸ 현주네 가족이 먹은 케이크는 몇 조각?

답 _____

## 수 카드로 조건에 맞는 수 만들기

 연계학습 137쪽

독해 문제 4

3장의 수 카드 중 2장을 골라 한 번씩만 사용하여/ 소수 ■.▲를 만들려고 합니다./
만들 수 있는 소수 중에서 가장 큰 수를 구해 보세요.

$$\boxed{1} \quad \boxed{5} \quad \boxed{7}$$

**해결해 볼까?**

❶ 알맞은 기호에 ○표 하기

가장 큰 소수 ■.▲를 만들려면 가장 큰 수를 ( ■ , ▲ )에 놓고,
두 번째로 큰 수를 ( ■ , ▲ )에 놓아야 한다.

❷ 수 카드의 수의 크기를 비교하면?

답 _____

❸ 만들 수 있는 소수 중에서 가장 큰 수는?

답 _____

6

분수와 소수

141

## { 수학 독해력 완성하기 }

☺ **남은 부분을 분수로 나타내기**

ⓒ 연계학습 136쪽

**독해 문제 5**

유진이는 도화지 한 장을 똑같이 나누어 전체의 $\frac{3}{10}$에 빨간색을 칠하고, /

전체의 0.2에 노란색을 칠하였습니다. /

나머지 부분에 모두 파란색을 칠하였다면/ 가장 넓은 부분을 칠한 색은 무슨 색인가요?

☺ **구하려는 것은?**  가장 넓은 부분을 칠한 색

🐻 **주어진 것은?**
- 빨간색을 칠한 부분: 전체의 $\frac{\boxed{\phantom{0}}}{10}$
- 노란색을 칠한 부분: 전체의 $\boxed{\phantom{0}}$
- 파란색을 칠한 부분: 나머지 부분

☺ **어떻게 풀까?**
1️⃣ 노란색을 칠한 부분을 분수로 나타내어 보고
2️⃣ 파란색을 칠한 부분은 전체의 몇 분의 몇인지 구한 다음
3️⃣ 분수의 크기를 비교하여 가장 넓은 부분을 칠한 색을 구하자.

☺ **해결해 볼까?**

❶ 노란색을 칠한 부분은 전체의 몇 분의 몇인지 분수로 나타내어 보면?

답 _____

❷ 파란색을 칠한 부분은 전체의 몇 분의 몇인지 분수로 나타내어 보면?

[전략] 빨간색과 노란색을 칠하고 남은 부분을 분수로 나타내어 보자.

답 _____

❸ 가장 넓은 부분을 칠한 색은?

답 _____

## 조건에 맞는 수 구하기

연계학습 138쪽

독해 문제
6

[조건]에 맞는 분수를 모두 구해 보세요.

[조건]
- 분모가 10입니다.
- 0.3보다 큰 수입니다.
- $\dfrac{1}{10}$이 8개인 수보다 작은 수입니다.

**구하려는 것은?** [조건]에 맞는 분수

**주어진 것은?**
- 분모: ☐
- 0.3보다 ( 작은 , 큰 ) 수
- $\dfrac{1}{10}$이 8개인 수보다 ( 작은 , 큰 ) 수

**어떻게 풀까?**
1 0.3을 분수로 나타내고, $\dfrac{1}{10}$이 8개인 수를 분수로 나타낸 다음
2 조건에 맞는 분수를 모두 찾아보자.

**해결해 볼까?**

❶ 0.3을 분수로 나타내어 보면?

답 ＿＿＿＿＿＿＿＿＿＿＿＿＿

❷ $\dfrac{1}{10}$이 8개인 수를 분수로 나타내어 보면?

답 ＿＿＿＿＿＿＿＿＿＿＿＿＿

❸ 분모가 10인 분수 중 ❶에서 구한 분수보다 크고 ❷에서 구한 분수보다 작은 수를 모두 구하면?

답 ＿＿＿＿＿＿＿＿＿＿＿＿＿

6

분수와 소수

# 창의·융합·코딩 체험하기

[융합 ① ~ ③] 다영이는 여러 나라 국기를 조사하였습니다./ 물음에 답해 보세요.

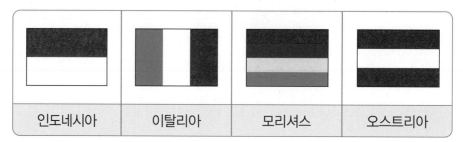

| 인도네시아 | 이탈리아 | 모리셔스 | 오스트리아 |

**융합 ①** 전체를 똑같이 4로 나눈 나라의 국기는 어느 나라 국기인가요?

답 _____

**융합 ②** 다영이가 가고 싶은 나라의 국기에 대한 설명입니다./
다영이가 가고 싶은 나라는 어느 나라인가요?

내가 가고 싶은 나라의 국기는 빨간색 부분이 전체의 $\frac{2}{3}$야.

다영

답 _____

**융합 ③** 이탈리아와 모리셔스 국기 중에서/ 초록색 부분이 더 넓은 국기는 어느 나라 국기인가요?
(단, 4개 나라 국기의 크기는 모두 같습니다.)

답 _____

음악에서 음표는 다음과 같이 음의 길이를 나타냅니다.
음의 길이가 가장 짧은 것을 찾아 ○표 하세요.

| 음표 |  | | |
|---|---|---|---|
| 이름 | 4분음표 | 8분음표 | 16분음표 |
| 음의 길이 | 1박 | $\frac{1}{2}$박 | $\frac{1}{4}$박 |

(　　) 　　(　　) 　　(　　)

 오늘 아침 일기예보의 예상 비의 양이 다음과 같았습니다.
비가 가장 많이 올 것으로 예상되는 지역의
예상 비의 양은 몇 cm인지 소수로 나타내어 보세요.

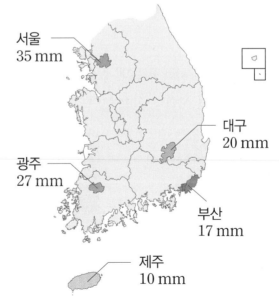

서울
35 mm

대구
20 mm

광주
27 mm

부산
17 mm

제주
10 mm

답 _____

6

분수와 소수

145

## { 창의·융합·코딩 **체험**하기 }

**창의 6** 정사각형 4개로 이루어진 도형을 테트로미노라고 합니다.
테트로미노는 ㉠~㉤과 같이 5종류가 있습니다.

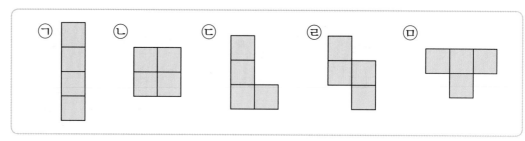

부분이 〔보기〕와 같을 때 전체에 알맞은 모양을 모두 찾아 기호를 쓰고,
〔보기〕의 부분의 양을 분수로 나타내어 보세요.

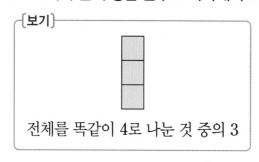

〔보기〕

전체를 똑같이 4로 나눈 것 중의 3

기호 ▶ _____

분수 ▶ _____

**창의 7** 재민이네 가족은 휴지를 사러 마트에 갔습니다.
1장당 판매 가격이 가장 저렴한 것을 사려면 어떤 휴지를 사야 하는지 기호를 써 보세요.

㉠
1장당 6.9원

㉡
1장당 7.3원

㉢
1장당 6.5원

답 ▶ _____

**코딩 8** 다음은 주어진 수가 $\dfrac{4}{10}$ 보다 큰지 알아보는 순서도입니다./

0.5를 넣으면 무엇이 인쇄되어 나오나요?

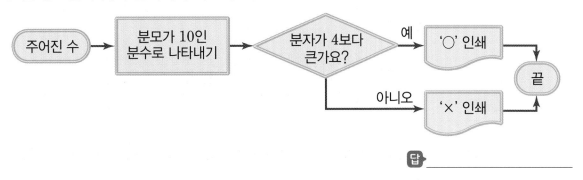

답 _____

**코딩 9** 〔약속〕에 따라 분수가 변할 때/ ㉠에 들어갈 분수를 구해 보세요.

〔약속〕
➡ : 분모가 2만큼 더 커집니다.
⬅ : 분모가 3만큼 더 작아집니다.
⬇ : 분자가 2만큼 더 커집니다.

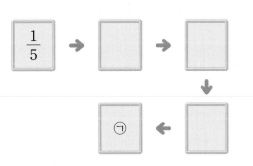

답 _____

6

분수와 소수

147

**길이를 소수로 나타내기**

**1** <u>잘못</u> 나타낸 것을 찾아 기호를 써 보세요.

> ㉠ 42 mm=4.2 cm    ㉡ 10 cm 7 mm=17 cm

 풀이

답 _____

**수의 크기 비교하기**

**2** 더 큰 수를 찾아 기호를 써 보세요.

> ㉠ 3과 0.8만큼인 수    ㉡ 0.1이 33개인 수

 풀이

답 _____

**남은 부분을 분수로 나타내기** ↻132쪽

**3** 은주는 케이크를 똑같이 8조각으로 나누어 2조각을 먹었습니다. 은주가 먹고 남은 케이크는 전체의 몇 분의 몇인지 분수로 나타내어 보세요.

 풀이

 답 _____

**소수의 크기 비교하기**

**4** 선영이와 진욱이의 이번 달 용돈은 같습니다. 선영이는 이번 달 용돈의 0.7만큼, 진욱이는 용돈의 0.9만큼 사용하였습니다. 용돈을 더 많이 사용한 사람은 누구인가요?

 풀이

답 _____

**소수로 나타내기** ⟲140쪽

**5** 끈 1 m를 똑같이 10조각으로 나누어 그중 8조각을 사용했습니다. 사용한 끈의 길이는 몇 m인지 소수로 나타내어 보세요.

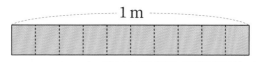

1 m

풀이

답 _____

**분수의 크기 비교하기**

**6** 똑같은 주스를 1병씩 사서 연수는 $\frac{1}{4}$병, 민우는 $\frac{1}{5}$병, 은재는 $\frac{1}{8}$병만큼 마셨습니다. 주스를 가장 많이 마신 사람은 누구인가요?

풀이

답 _____

6

분수와 소수

149

{ 실전 **마무리** 하기 }

**분수와 소수의 크기 비교하기**

**7** 선물을 포장할 끈을 현성이는 $1.2\,\text{m}$, 민서는 $\dfrac{5}{10}\,\text{m}$, 재영이는 $0.9\,\text{m}$ 가지고 왔습니다. 가장 짧은 끈을 가지고 온 사람은 누구인가요?

풀이

답 _____

**수 카드로 조건에 맞는 수 만들기** 133쪽

**8** 3장의 수 카드 중 한 장을 골라 그 수를 분자로 하여 분모가 6인 분수 중 가장 큰 분수를 만들어 보세요.

풀이

답 _____

**전체의 분수만큼 구하기** 141쪽

**9** 미정이는 떡을 똑같이 12조각으로 나누어 전체의 $\dfrac{2}{6}$만큼 먹었습니다. 미정이가 먹은 떡은 몇 조각인가요?

풀이

답 _____

**소수의 크기를 비교하여 ☐ 안에 알맞은 수 구하기** ↱139쪽

**10** 1부터 9까지의 자연수 중에서 ☐ 안에 알맞은 수를 모두 구해 보세요.

$$3.3 < \boxed{\phantom{0}}.1 < 7.4$$

풀이

답 _____

**남은 부분을 분수로 나타내기** ↱142쪽

**11** 피자 한 판을 똑같이 나누어 영재는 전체의 $\frac{2}{10}$를 먹었고, 미선이는 전체의 0.5를 먹었습니다.

준하가 남은 피자를 모두 먹었다면 피자를 가장 많이 먹은 사람은 누구인가요?

풀이

답 _____

**조건에 맞는 수 구하기** ↱143쪽

**12** 〔조건〕에 맞는 분수를 모두 구해 보세요.

┌〔조건〕──────────────
• 분모가 10입니다.
• 0.1이 6개인 수보다 큰 수입니다.
• $\frac{1}{10}$이 9개인 수보다 작은 수입니다.
└──────────────────

풀이

답 _____

MEMO

Fighting

실패는 고통스럽다.
그러나 최선을 다하지 못했음을 깨닫는 것은
몇 배 더 고통스럽다.

Failure hurts, but realizing you didn't do your best
hurts even more.

**앤드류 매슈스**

살아가면서 실패는 누구나 겪는 감기몸살 같은 것이지만
최선을 다 하지 않은 것은 부끄러운 일이라고 합니다. 만약 최선을 다 하고도
실패했다면 좌절하지 마세요. 언젠가 값진 선물이 되어 다시 돌아올 테니까요.

# 정답과 풀이
## 포인트 3가지

▶ 혼자서도 이해할 수 있는 친절한 문제 풀이

▶ 문제 해결에 꼭 필요한 핵심 전략 제시

▶ 문제 분석과 쌍둥이 문제로 수학 독해력 완성

수학도 **독해가 힘이다** 3·1

# 정답과 자세한 풀이

## { CONTENTS }

## 1 덧셈과 뺄셈

**1 문제 해결력 기르기** 6~11쪽

### 선행 문제 1
(1) +, 277
(2) −, 740

### 실행 문제 1
❶ 덧셈식에 ○표
❷ 234, 589
답▶ 589개

### 쌍둥이 문제 1-1
241권

### 선행 문제 2
(1) 187, 221
(2) 334, 1001

### 실행 문제 2
❶ 158
❷ 158, 605
답▶ 605

### 쌍둥이 문제 2-1
691

### 선행 문제 3
(1) −, 543
(2) +, 455

### 실행 문제 3
❶ 300
❷ 300, 155
답▶ 155 cm

### 쌍둥이 문제 3-1
186 cm

### 선행 문제 4
(1) 3, 1, 931
(2) 3, 9, 139

### 실행 문제 4
❶ 632
❷ 236
❸ 632, 236, 868
답▶ 868

### 쌍둥이 문제 4-1
495

### 선행 문제 5
(1) 527
(2) 760

### 실행 문제 5
❶ 337, 256
❷ 256
❸ 255
답▶ 255

### 쌍둥이 문제 5-1
346

### 선행 문제 6
3, 1, 4 /
208, 106(또는 106, 208)

### 실행 문제 6
❶ 416, 784(또는 784, 416)
❷ 416, 784, 1200
  (또는 784, 416, 1200)
답▶ 416, 784
  (또는 784, 416)

### 쌍둥이 문제 6-1
525, 609
(또는 609, 525)

**2 수학 사고력 키우기** 12~17쪽

### 대표 문제 1
구 어린이
주 212, 105
❶ 107명
❷ 319명

### 쌍둥이 문제 1-1
597점

### 대표 문제 2
구 세
❶ 546+□=934
❷ 388

### 쌍둥이 문제 2-1
811

### 대표 문제 3
구 라
❶
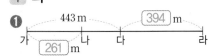
❷ 837 m    ❸ 576 m

### 쌍둥이 문제 3-1
115 m

### 대표 문제 4
구 합
❶ 850    ❷ 508    ❸ 1358

### 쌍둥이 문제 4-1
333

### 대표 문제 5
구 작은
❶ 268    ❷ ■>268
❸ 269

**쌍둥이 문제 5-1**

157

**대표 문제 6**

구 167

① 217 /
652, 465(또는 465, 652)

② 217, 167 / 652, 465, 187

③ 384, 217

**쌍둥이 문제 6-1**

835, 601

**3 STEP 수학 독해력 완성하기** 18~21쪽

**독해 문제 1**

구 더한에 ○표

주 354

① □−247=354

② 601    ③ 848

**독해 문제 2**

주 175, 259, 614

① 355명

② 530명

**독해 문제 3**

구 200

주 534

① 100, 500

② 395, 586

③ 586−395=191

**독해 문제 4**

구 큰에 ○표

① 196

② 작아야에 ○표

③ ■<196

④ 195

**4 STEP 창의·융합·코딩 체험하기** 22~25쪽

융합 ①

88명

코딩 ②

(1) 144

(2) 378

창의 ③

1246점

창의 ④

㉠에 ○표, 165

코딩 ⑤

(1) 184마리

(2) 16번

융합 ⑥

444명

융합 ⑦

187, 842

**종합 평가·실전 마무리 하기** 26~29쪽

1  958

2  883장

3  288

4  657 m

5  702

6  193

7  496, 457

8  287

9  480원

10  725−414=311

**2 평면도형**

**1 STEP 문제 해결력 기르기** 32~37쪽

**선행 문제 1**

4

**실행 문제 1**

① ⑥ / 2
④, ⑤ / 4

② 4, 2, 2

답 2개

**쌍둥이 문제 1-1**

2개

**선행 문제 2**

(1) 한

(2) 네

(3) 직각, 네

**실행 문제 2**

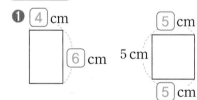

/ 예 직사각형은 네 변의 길이가 모두 같지 않지만 정사각형은 네 변의 길이가 모두 같다.

**쌍둥이 문제 2-1**

① 예 직사각형과 정사각형 모두 변이 4개씩 있다.

② 예 직사각형과 정사각형 모두 직각이 4개씩 있다.

**선행 문제 3**

(1) 4

(2) 2

## 실행 문제 ❸

❶

❷ 5

답 5개

## 쌍둥이 문제 3-1

6개

## 선행 문제 ❹

(1) 18, 18, 9
(2) 28, 28, 7

## 실행 문제 ❹

❶ 5 / 5, 7
❷ 7, 5, 2
답 2

## 쌍둥이 문제 4-1

2

## 선행 문제 ❺

(1) 3
(2) 2
(3) 1

## 실행 문제 ❺

❶ 4, 4, 1
❷ 9
답 9개

## 쌍둥이 문제 5-1

12개

## 선행 문제 ❻

## 실행 문제 ❻

❶ 13
❷ 13, 13, 44
답 44 cm

## 쌍둥이 문제 6-1

34 cm

## 2 STEP 수학 사고력 키우기  38~43쪽

## 대표 문제 ❶

구 차
❶ 1개, 8개
❷ 7개

## 쌍둥이 문제 1-1

4개

## 대표 문제 ❷

구 이름
❶ 사각형
❷ 직사각형
❸ 정사각형

## 쌍둥이 문제 2-1

직각삼각형

## 대표 문제 ❸

구 직각
❶ 5개, 3개
❷ 가

## 쌍둥이 문제 3-1

나

## 대표 문제 ❹

구 세로에 ◯표
❶ 16 cm
❷ 16 cm
❸ 3

## 쌍둥이 문제 4-1

5

## 대표 문제 ❺

구 직각삼각형
❶ 4개
❷ 4개
❸ 8개

## 쌍둥이 문제 5-1

5개

## 대표 문제 ❻

구 길이
❶ (위에서부터) 10, 15
❷ 50 cm

## 쌍둥이 문제 6-1

62 cm

## 3 STEP 수학 독해력 완성하기  44~47쪽

## 독해 문제 ❶

구 정사각형
주 같은에 ◯표, 7, 5
❶ 24 cm
❷ 24 cm
❸ 6 cm

독해 문제 **2**

구 합

주 2, 10

❶ 5 cm

❷ 15 cm

❸ 50 cm

독해 문제 **3**

구 길이

주 2, 4

❶ (위에서부터) 24, 10

❷ 68 cm

독해 문제 **4**

구 작은에 ◯표

주 5, 14

❶ 9 cm

❷ 4 cm

❸ 16 cm

**4** STEP 창의·융합·코딩 체험하기 48~51쪽

창의 ①

6개

창의 ②

예

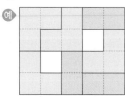

/ 예 4개, 예 3개

창의 ③

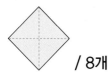

/ 8개

창의 ④

8개

코딩 ⑤

(위에서부터) 4, 2

코딩 ⑥

(위에서부터) 2, 3, 1

코딩 ⑦

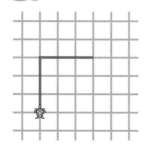

코딩 ⑧

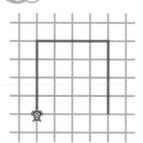

종합 평가 실전 마무리 하기 52~55쪽

**1** 6 cm

**2** 24 cm

**3** 7 cm

**4** 4개

**5** 정사각형

**6** 나

**7** 2

**8** 100 cm

**9** 50 cm

**10** 11개

**3** 나눗셈

**1** STEP 문제 해결력 기르기 58~61쪽

선행 문제 ❶

(1) 2, 2, 9

(2) 5, 5, 3

실행 문제 ❶

❶ ÷에 ◯표

❷ 8, 5

답 5개

쌍둥이 문제 **1-1**

8개

선행 문제 ❷

① 4, 36

② 36, 4

실행 문제 ❷

❶ 8, 24

❷ 24, 4

답 4자루

쌍둥이 문제 **2-1**

3개

선행 문제 ❸

2, 3 / 많다에 ◯표

실행 문제 ❸

❷ 5, 4, 1

답 +

쌍둥이 문제 **3-1**

예 (점의 수)
　＝(점 사이의 간격 수)+1

## 선행 문제 4

① 56  ② 36  ③ 63

## 실행 문제 4

❶ 12, 13, 21, 23, 31, 32
❷ 12, 32
답 12, 32

## 쌍둥이 문제 4-1

16, 56

## 2 STEP 수학 사고력 키우기  62~65쪽

### 대표 문제 1

구 **차**에 ○표
주 54, 6
❶ 8권, 9권
❷ 1권

### 쌍둥이 문제 1-1

2자루

### 대표 문제 2

주 5, 7
❶ 54개
❷ 49개
❸ 7개

### 쌍둥이 문제 2-1

6개

### 대표 문제 3

구 **한쪽**에 ○표
주 40, 5
❶ 8군데
❷ 9그루

### 쌍둥이 문제 3-1

7개

### 대표 문제 4

구 9
❶ 27, 24, 72, 74, 42, 47
❷ 27, 72

### 쌍둥이 문제 4-1

20, 10

## 3 STEP 수학 독해력 완성하기  66~69쪽

### 독해 문제 1

❶ 56송이
❷ 63송이
❸ 7송이

### 독해 문제 2

❶ 3개
❷ 5개
❸ 15개

### 독해 문제 3

❶ □÷6=2
❷ 12
❸ 4

### 독해 문제 4

❶ 4단
❷ 2, 6
❸ 6

### 독해 문제 5

구 **양쪽**에 ○표
주 35, 7
❶ 5군데
❷ 6개
❸ 12개

### 독해 문제 6

주 18
❶ 3, 4, 5
❷ 3번
❸ 6분

## 4 STEP 창의·융합·코딩 체험하기  70~73쪽

### 융합 1

2, 2, 2 / 3

### 융합 2

7, 7, 7, 7, 7 / 5

### 창의 3

9 cm

### 창의 4

4, 5, 8, 9

### 코딩 5

4

### 코딩 6

8

### 코딩 7

5

### 창의 8

## 종합 평가 실전 마무리 하기  74~77쪽

1 6개

2 3개

3 2개

4 5번

5 1 cm

6 5개

7 10개

8 24, 42, 12

9 3

10 5분

# **4 곱셈**

## 1 STEP 문제 해결력 기르기 80~85쪽

### 선행 문제 **1**
(1) ×, 60
(2) ×, 88
(3) ×, 60

### 실행 문제 **1**
❶ 곱셈식에 ◯표
❷ ×, 39
답 39개

### 쌍둥이 문제 **1-1**
46번

### 선행 문제 **2**
(1) 40, ㉡
(2) 120, ㉠

### 실행 문제 **2**
❶ ×, 80
❷ 80, >, 사탕에 ◯표
답 사탕

### 쌍둥이 문제 **2-1**
파란색 공

### 선행 문제 **3**
10, 30

### 실행 문제 **3**
❶ 1, 9, 19
❷ 19, 76
답 76송이

### 쌍둥이 문제 **3-1**
165권

### 선행 문제 **4**
(1) 4, 16, 4, 12
(2) 2, 14, 2, 16

### 실행 문제 **4**
❶ 5, 17
❷ 5, 12
❸ 12, 60
답 60

### 쌍둥이 문제 **4-1**
156

### 선행 문제 **5**
(1) 5, 5
(2) 4, 4, 9, 9

### 실행 문제 **5**
❶ 2, 2, 7, 14, 7
❷ 2, 7
답 7

### 쌍둥이 문제 **5-1**
8

### 실행 문제 **6**
❶ 8, 6, 5
❷ 6, 5, 8, 520
답 520

### 쌍둥이 문제 **6-1**
94

## 2 STEP 수학 사고력 키우기 86~91쪽

### 대표 문제 **1**
주 4, 5
❶ 60개
❷ 55개

### 쌍둥이 문제 **1-1**
119개

### 대표 문제 **2**
주 6, 5
❶ 96개
❷ 100개
❸ 귤

### 쌍둥이 문제 **2-1**
4학년

### 대표 문제 **3**
주 30, 7
❶ 23개
❷ 184개

### 쌍둥이 문제 **3-1**
203개

### 대표 문제 **4**
❶ 5×□=40
❷ 8
❸ 120

### 쌍둥이 문제 **4-1**
297

### 대표 문제 **5**
❶ 5
❷ 10
❸ 2

### 쌍둥이 문제 **5-1**
3

### 대표 문제 **6**
❶ 9, 7, 4, 2
❷ ㉢
❸ 7, 4, 9 / 666

쌍둥이 문제 6-1

171

3 STEP 수학 독해력 완성하기 92~95쪽

독해 문제 1

주 12, 2, 3
❶ 24장
❷ 72장

독해 문제 2

주 7, 63 / 13
❶ 7×□=63
❷ 9칸
❸ 117권

독해 문제 3

❶ 114
❷ 0, 1, 2
❸ 3개

독해 문제 4

주 29, 4, 4
❶ 116 cm
❷ 3군데
❸ 12 cm
❹ 104 cm

4 STEP 창의·융합·코딩 체험하기 96~99쪽

융합 1

140개

창의 2

코끼리

창의 3

78살

융합 4

42

융합 5

320

창의 6

135 cm

코딩 7

(1) ◯
(2) ✕

코딩 8

51

코딩 9

192

종합 평가 실전 마무리 하기 100~103쪽

1 160권

2 220

3 62개

4 윤서

5 189권

6 168자루

7 204

8 65개

9 7

10 224

## 5 길이와 시간

1 STEP 문제 해결력 기르기 106~111쪽

선행 문제 1

(1) 90, 94
(2) 50, 5

실행 문제 1

❶ 105
❷ 105, >, 파란
답 파란색

쌍둥이 문제 1-1

연필

선행 문제 2

9, 6 / 1, 2

실행 문제 2

❶ 2, 3
❷ (위에서부터) 2, 3 / 5, 9
답 5 cm 9 mm

쌍둥이 문제 2-1

9 cm 9 mm

선행 문제 3

(1) 뺄셈에 ◯표, ㅡ
(2) 덧셈에 ◯표, ＋

실행 문제 3

❶ 60, 1
❷ (위에서부터) 1, 40 / 5, 31, 50
답 5시 31분 50초

빠른 정답

**쌍둥이 문제 3-1**

2시 12분 50초

**선행 문제 4**

2, 20

**실행 문제 4**

❶ 4, 20, 10 / 5, 40, 20
❷ (위에서부터) 5, 40, 20 /
　4, 20, 10 / 1, 20, 10
답 1시간 20분 10초

**쌍둥이 문제 4-1**

1시간 5분 10초

**선행 문제 5**

(위에서부터) 50, 20, 10

**실행 문제 5**

❶ 40, 10
❷ 10, 10, 10, 10
답 오전 10시 10분

**다르게 풀기**

❶ 10, 50
❷ 50, 10, 10
답 오전 10시 10분

**선행 문제 6**

12, 19 / 19, 13

**실행 문제 6**

❶ 18
❷ (위에서부터) 18 / 12, 9, 8
답 12시간 9분 8초

**쌍둥이 문제 6-1**

14시간 14분 50초

**2 STEP 수학 사고력 키우기 112~117쪽**

**대표 문제 1**

주 100, 2010
❶ 2100 m
❷ 공원

**쌍둥이 문제 1-1**

수민이네 집

**대표 문제 2**

❶ 6 km 500 m
❷ ㉠ 길
❸ 2 km 470 m

**쌍둥이 문제 2-1**

1 km 190 m

**대표 문제 3**

주 20 / 1, 15
❶ 전에 ○표
❷ 4시 5분

**쌍둥이 문제 3-1**

1시 30분 10초

**대표 문제 4**

❶ 45분
❷ 35분
❸ 아린

**쌍둥이 문제 4-1**

유찬

**대표 문제 5**

❶ 오후 5시 15분 25초
❷ 오후 5시 30분 25초
❸ 오후 6시 22분 55초

**쌍둥이 문제 5-1**

오후 2시 36분 20초

**대표 문제 6**

❶ 19시 20분 50초
❷ 14시간 8분 20초
❸ 9시간 51분 40초

**쌍둥이 문제 6-1**

13시간 24분 50초

**3 STEP 수학 독해력 완성하기 118~121쪽**

**독해 문제 1**

주 20, 52
❶ 32분
❷ 꽃 그리기

**독해 문제 2**

구 ㉡
주 400, 4200, 300
❶ 4 km 200 m
❷ 14 km 600 m
❸ 5 km 300 m

**독해 문제 3**

주 11, 50 / 25 / 11, 15, 45
❶ 오전 11시 25분
❷ 9분 15초 후

**독해 문제 4**

주 10, 10, 7
❶ 70초
❷ 1분 10초
❸ 오전 9시 58분 50초

## 4 STEP 창의·융합·코딩 체험하기 122~125쪽

### 융합 1
25분 40초

### 융합 2
(1) m에 ○표
(2) km에 ○표

### 창의 3
15분 30초

### 창의 4
27분

### 코딩 5
(1) 초록색
(2) 빨간색

### 창의 6
2 km 400 m

### 창의 7
2 km 800 m

### 종합 평가 실전 마무리 하기 126~129쪽

1 43 mm
2 희민
3 2 km 200 m
4 5시 35분
5 2시 15분 20초
6 25 cm 3 mm
7 5 km 240 m
8 5시 20분
9 원용
10 10시간 17분 50초

## 6 분수와 소수

### 1 STEP 문제 해결력 기르기 132~135쪽

### 선행 문제 1
$5, 2, \dfrac{2}{5}$

### 실행 문제 1
❶ 9
❷ 7, 2
❸ $\dfrac{2}{9}$
답 $\dfrac{2}{9}$

### 쌍둥이 문제 1-1
$\dfrac{5}{8}$

### 선행 문제 2
2, 3, 2, 3

### 실행 문제 2
❶ 큰에 ○표
❷ 7, 6, 5
❸ 7
답 $\dfrac{7}{9}$

### 쌍둥이 문제 2-1
$\dfrac{3}{7}$

### 선행 문제 3
9, 7, 8

### 실행 문제 3
❶ 작을수록에 ○표
❷ 6, 5 (또는 5, 6)
답 $\dfrac{1}{6}, \dfrac{1}{5}$

### 쌍둥이 문제 3-1
$\dfrac{1}{5}, \dfrac{1}{4}, \dfrac{1}{3}$

### 선행 문제 4
같다에 ○표 / 7, 8, 9

### 실행 문제 4
❶ 같다에 ○표
❷ 5, 8
❸ 6, 7
답 6, 7

### 쌍둥이 문제 4-1
2, 3, 4

## 2 STEP 수학 사고력 키우기 136~139쪽

### 대표 문제 1
주 3, 2
❶ 3조각
❷ $\dfrac{3}{8}$

### 쌍둥이 문제 1-1
$\dfrac{1}{10}$

### 대표 문제 2
❶ 작을수록에 ○표
❷ 5, 6, 7
❸ $\dfrac{1}{5}$

### 쌍둥이 문제 2-1
$\dfrac{1}{7}$

## 대표 문제 ❸

주 6

❶ 클수록에 ◯표

❷ $\dfrac{3}{7}$, $\dfrac{4}{7}$, $\dfrac{5}{7}$

❸ 3개

## 쌍둥이 문제 ❸-1

3개

## 대표 문제 ❹

❶ 6, 7, 8, 9

❷ 6, 7, 8

❸ 6, 7, 8

## 쌍둥이 문제 ❹-1

6, 7, 8, 9

## 3 STEP 수학 독해력 완성하기 140~143쪽

### 독해 문제 1

❶ $\dfrac{6}{10}$ m

❷ 0.6 m

### 독해 문제 2

❶ 9.7 cm

❷ >, 9.7

❸ 상현

### 독해 문제 3

❶ 예

, 2조각

❷ 3개

❸ 6조각

## 독해 문제 4

❶ ■에 ◯표,
▲에 ◯표

❷ 7, 5, 1

❸ 7.5

## 독해 문제 5

주 3, 0.2

❶ $\dfrac{2}{10}$

❷ $\dfrac{5}{10}$

❸ 파란색

## 독해 문제 6

주 10,
큰에 ◯표,
작은에 ◯표

❶ $\dfrac{3}{10}$

❷ $\dfrac{8}{10}$

❸ $\dfrac{4}{10}$, $\dfrac{5}{10}$, $\dfrac{6}{10}$, $\dfrac{7}{10}$

## 4 STEP 창의·융합·코딩 체험하기 144~147쪽

### 융합 ①

모리셔스

### 융합 ②

오스트리아

### 융합 ③

이탈리아

### 융합 ④

( )( )( ◯ )

## 창의 ⑤

3.5 cm

## 창의 ⑥

㉠, ㉢, ㉣ / $\dfrac{3}{4}$

## 창의 ⑦

㉢

## 코딩 ⑧

◯

## 코딩 ⑨

$\dfrac{3}{6}$

## 종합 평가 실전 마무리 하기 148~151쪽

1 ㉡

2 ㉠

3 $\dfrac{6}{8}$

4 진욱

5 0.8 m

6 연수

7 민서

8 $\dfrac{5}{6}$

9 4조각

10 4, 5, 6, 7

11 미선

12 $\dfrac{7}{10}$, $\dfrac{8}{10}$

# 정답과 자세한 풀이

## 1 덧셈과 뺄셈

**FUN한 이야기** 4~5쪽

522
137, 385
907

### STEP 1 문제 해결력 기르기 6~11쪽

**선행 문제 1**

(1) +, 277
(2) −, 740

**실행 문제 1**

❶ 덧셈식에 ◯표
❷ 234, 589

답▶ 589개

**쌍둥이 문제 1-1**

❶ [전략] '~보다 더 적게'에 알맞은 식을 정하자.
위인전은 동화책보다 더 적게 있으므로 뺄셈식을 세워야 한다.
❷ [전략] (동화책의 수)−103
(위인전의 수)=344−103
=241(권)

답▶ 241권

**선행 문제 2**

(1) 187, 221
(2) 334, 1001

**실행 문제 2**

❶ 158

참고
어떤 수에 158을 더했더니 7630이 되었습니다.
(어떤 수) +158 =763

❷ 158, 605

답▶ 605

**쌍둥이 문제 2-1**

❶ [전략] 문장에 알맞은 뺄셈식을 세우자.
(어떤 수)−264=427
❷ [전략] 덧셈과 뺄셈의 관계를 이용하여 어떤 수를 구하자.
(어떤 수)=427+264=691

답▶ 691

**선행 문제 3**

(1) −, 543
(2) +, 455

**실행 문제 3**

❶ 300
❷ 300, 155

답▶ 155 cm

**쌍둥이 문제 3-1**

❶ [전략] 답을 몇 cm로 구해야 하므로 5 m를 cm 단위로 고치자.
(가~다)의 거리=5 m=500 cm
❷ [전략] (가~다)의 거리−(가~나)의 거리
(나~다)의 거리=500−314
=186 (cm)

답▶ 186 cm

**선행 문제 4**

(1) 3, 1, 931
(2) 3, 9, 139

**실행 문제 4**

❶ 632
❷ 236
❸ 632, 236, 868

답▶ 868

**쌍둥이 문제 4-1**

❶ [전략] 큰 수부터 백, 십, 일의 자리에 차례로 써서 만들자.
가장 큰 세 자리 수: 954
❷ [전략] 작은 수부터 백, 십, 일의 자리에 차례로 써서 만들자.
가장 작은 세 자리 수: 459
❸ [전략] 위 ❶, ❷에서 만든 두 수의 차를 구하자.
차: 954−459=495

답▶ 495

### 선행 문제 5

(1) **527**

(2) **760**

### 실행 문제 5

❶ 337, 256

❷ 256

❸ 255

> **참고**
> ■는 256보다 작아야 하므로 ■＝255, 254……이다.
> 따라서 ■에 알맞은 자연수 중 가장 큰 수는 2550이다.

답 **255**

### 쌍둥이 문제 5-1

❶ [전략] ＜를 ＝로 바꿔 ■를 구하자.
■＋148＝495,
■＝495－148＝347

❷ [전략] ■＋148은 495보다 작아야 하므로
실제로 ■는 ❶에서 구한 347보다 작다.
문제의 식을 간단히 나타내면
■＜347

❸ ■에 알맞은 자연수 중 가장 큰 수: 346

> **참고**
> ■는 347보다 작아야 하므로 ■＝346, 345……이다.
> 따라서 ■에 알맞은 자연수 중 가장 큰 수는 3460이다.

답 **346**

### 다르게 풀기

■＋148은 495보다 작으므로
■＋148은 494, 493……이 될 수 있다.
■에 알맞은 자연수 중 가장 큰 수를 구해야 하므로
■＋148＝494, ■＝494－148＝346이다.

답 **346**

### 선행 문제 6

3, 1, 4 /
208, 106(또는 106, 208)

### 실행 문제 6

❶ 416, 784(또는 784, 416)

❷ 416, 784, 1200(또는 784, 416, 1200)

답 **416, 784(또는 784, 416)**

### 쌍둥이 문제 6-1

❶ [전략] 합 1134의 일의 자리 숫자가 4이므로
일의 자리 숫자끼리의 합이 4인 두 수를 찾자.

일의 자리 숫자끼리의 합이 4인 두 수:
525, 609

❷ [전략] ❶에서 답한 두 수의 합을 구하여 확인하자.
덧셈식: 525＋609＝1134

답 **525, 609(또는 609, 525)**

## 2 STEP 수학 사고력 키우기   12~17쪽

### 대표 문제 1

구 **어린이**

주 • 212
• 105

어 비행기에 탄 어린이 수를 구한 후, 구한 어린이 수와 어른 수의 합을 구하자.

해 ❶ (비행기에 탄 어린이 수)
＝212－105＝107(명)

답 **107명**

❷ (비행기에 탄 어른과 어린이 수)
＝212＋107＝319(명)

답 **319명**

### 쌍둥이 문제 1-1

구 천재미술관에 있는 그림과 조각 수

주 • 그림 수: 366점
• 조각은 그림보다 135점 더 적게 있음.

어 조각 수를 구한 후, 구한 조각 수와 그림 수의 합을 구하자.

❶ [전략] (그림 수)－135
(조각 수)＝366－135
＝231(점)

❷ [전략] (그림 수)＋(조각 수)
(천재미술관에 있는 그림과 조각 수)
＝366＋231＝597(점)

답 **597점**

**대표 문제 2**

구 세

해 ❶ 식 546＋□＝934

❷ 546＋□＝934,
□＝934－546＝388
따라서 찢어진 종이에 적힌 세 자리 수는 388
이다. 답 388

**초간단 풀이**

어 두 수의 합이 934이므로 934에서 546을 빼자.

해 934－546＝388

답 388

**쌍둥이 문제 2-1**

구 찢어진 종이에 적힌 세 자리 수

어 ⓵ 찢어진 종이에 적힌 세 자리 수를 □라 하여 뺄
셈식을 세운 후,
⓶ 덧셈과 뺄셈의 관계를 이용해 □를 구하자.

❶ 찢어진 종이에 적힌 세 자리 수를 □라 하여 뺄셈식
을 세우기: □－237＝574

참고
> 찢어진 종이에 적힌 세 자리 수의 백의 자리 숫자가
> 8이므로 □＞237이다.
> 따라서 두 수의 차를 구하는 식은
> □－237＝574이다.

❷ 전략 ❶에서 세운 식에서 덧셈과 뺄셈의 관계를 이용해
□를 구하자.

□－237＝574,
□＝574＋237＝811
➡ 찢어진 종이에 적힌 세 자리 수: 811

답 811

**대표 문제 3**

구 라

해 ❶ 답 

443 m    394 m
가  261 m  나   다        라

❷ (가～라)의 거리:
443＋394＝837 (m)

답 837 m

❸ (나～라)의 거리:
837－261＝576 (m)

답 576 m

**쌍둥이 문제 3-1**

❶ 문제에 주어진 거리를 그림에 나타내면

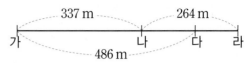

337 m     264 m
가      나  다   라
486 m

❷ 전략 (가～나)의 거리＋(나～라)의 거리
(가～라)의 거리: 337＋264＝601 (m)

❸ 전략 (가～라)의 거리－(가～다)의 거리
(다～라)의 거리: 601－486＝115 (m)

답 115 m

**대표 문제 4**

구 합

해 ❶ 8＞5＞0이므로 만든 수 중 가장 큰 수는 850
이다. 답 850

❷ 0은 백의 자리에 올 수 없으므로 둘째로 작은 수
5를 백의 자리에, 0을 십의 자리에 놓아야 한
다. 답 508

❸ 850＋508＝1358

답 1358

**쌍둥이 문제 4-1**

구 만든 수 중 가장 큰 수와 가장 작은 수의 차

어 ⓵ 가장 큰 수는 백의 자리부터 큰 수를 차례로
놓아 만들고,
⓶ 0이 있을 때의 가장 작은 수는 (둘째로 작은 수)
➡ 0 ➡ (남은 수)의 순서로 놓아 만들어
⓷ 위 ⓵과 ⓶에서 만든 두 수의 차를 구하자.

❶ 전략 백의 자리부터 큰 수를 차례로 놓자.
만든 수 중 가장 큰 수: 740

❷ 전략 백의 자리에 0 대신 둘째로 작은 수를 놓자.
만든 수 중 가장 작은 수: 407

❸ 전략 ❶과 ❷에서 만든 두 수의 차를 구하자.
차: 740－407＝333

답 333

**대표 문제 5**

구 작은

해 ❶ 262＋■＝530, ■＝530－262＝268

답 268

❷ 식 ■＞268

❸ ■는 268보다 큰 수이므로 그중 가장 작은 수는
269이다.

답 269

## 쌍둥이 문제 5-1

**구** ■에 알맞은 자연수 중에서 가장 작은 수

**어** **1** >를 =로 바꿔 ■를 구한 다음,

**2** ■+187이 343보다 커야 하므로 실제 ■의 범위를 알아보고,

**3** 이 중 가장 작은 수를 구하자.

**해** **1** [전략] 덧셈과 뺄셈의 관계를 이용하자.

■+187=343,

■=343-187=156

**2** [전략] ■+187은 343보다 커야 하므로 실제로 ■는 **1**에서 구한 156보다 크다.

문제의 식을 수 하나로 간단히 나타내기:

■>156

**3** [전략] ■>156을 만족하는 가장 작은 수를 구하자.

■에 알맞은 자연수 중 가장 작은 수: 157

**답** 157

### 다르게 풀기

■+187은 343보다 크므로

■+187은 344, 345……가 될 수 있다.

■에 알맞은 자연수 중 가장 작은 수를 구해야 하므로

■+187=344, ■=344-187=157이다.

**답** 157

## 대표 문제 6

**구** 167

**해** **1** **답** 217 / 652, 465(또는 465, 652)

**2** **답** 217, 167 / 652, 465, 187

**3** **답** 384, 217

## 쌍둥이 문제 6-1

**1** [전략] 차 234의 일의 자리 숫자가 4이므로 받아내림을 생각하며 일의 자리 숫자끼리의 차가 4인 두 수를 찾자.

일의 자리 숫자끼리의 차가 4인 두 수끼리 짝 지으면

(762, 518), (835, 601)

**2** [예상 1] 762-518=244

[예상 2] 835-601=234

**3** [전략] 위 **2**에서 차가 234인 두 수를 찾자.

뽑은 두 장의 수 카드: 835, 601

**답** 835, 601

---

## 3 STEP 수학 독해력 완성하기 `18~21쪽`

### 독해 문제 1

**구** 더한에 ○표

**주** 354

**해** **1** **식** □-247=354

**2** □-247=354, □=354+247=601

**답** 601

**3** 바르게 계산한 값: 601+247=848

**답** 848

### 독해 문제 1-1 <정답에서 제공하는 쌍둥이 문제>

어떤 수에 324를 더해야 할 것을/
잘못하여 뺐더니 297이 되었습니다./
바르게 계산한 값을 구하세요.

-------

**구** 바르게 계산한 값

➡ 어떤 수에 324를 더한 값

**주** 잘못된 계산 ➡ 어떤 수에서 324를 뺀 값: 297

**어** **1** 어떤 수를 □라 하여 잘못 계산한 식을 세운 후,

**2** 덧셈과 뺄셈의 관계를 이용하여 □를 구하고,

**3** 구한 □에 324를 더해 바르게 계산한 값을 구하자.

**해** **1** 어떤 수를 □라 하여 잘못 계산한 식을 쓰면

□-324=297

**2** □-324=297,

□=297+324=621

**3** 바르게 계산한 값: 621+324=945

**답** 945

### 독해 문제 2

**주** •175, 259  •614

**해** **1** (천안역에서 타기 전 사람 수)

=614-259=355(명)

**답** 355명

**2** (서울역을 출발할 때 기차에 타고 있던 사람 수)

=(천안역에서 내리기 전 사람 수)

=355+175=530(명)

**답** 530명

**독해 문제 2-1** 　정답에서 제공하는 **쌍둥이 문제**

기차가 서울역을 출발하여 대전역에 도착하였습니다./ 대전역에서 137명이 내리고 다시 265명이 탔더니/ 지금 기차에 타고 있는 사람이 558명입니다./ 서울역을 출발할 때 기차에 타고 있던 사람은 몇 명이었나요?

**구** 서울역을 출발할 때 기차에 타고 있던 사람 수
➔ 대전역에서 내리기 전 사람 수

**주** • 대전역에서 내린 사람 수: 137명,
　대전역에서 탄 사람 수: 265명
　• 지금 기차에 타고 있는 사람 수: 558명

**어** ❶ 지금 기차에 타고 있는 사람 수부터 거꾸로 생각하여 대전역에서 타기 전 사람 수를 구한 후,
❷ 대전역에서 내리기 전 사람 수를 차례로 구하자.

**해** ❶ (대전역에서 타기 전 사람 수)
　＝(지금 기차에 타고 있는 사람 수)
　　－(대전역에서 탄 사람 수)
　＝558－265＝293(명)

❷ (서울역을 출발할 때 기차에 타고 있던 사람 수)
＝(대전역에서 내리기 전 사람 수)
＝(대전역에서 타기 전 기차에 남아 있는 사람 수)＋(대전역에서 내린 사람 수)
＝293＋137＝430(명)

**답** 430명

**독해 문제 3**

**구** 200

**주** 534

**해** ❶ 114는 200보다 100에, 534는 600보다 500에 더 가깝다.

**답** 100, 500

❷ 600－400＝200이므로 600으로 어림한 586과 400으로 어림한 395를 차가 200에 가장 가까운 두 수로 예상할 수 있다.

**답** 395, 586

❸ **식** 586－395＝191

**독해 문제 3-1** 　정답에서 제공하는 **쌍둥이 문제**

두 수를 골라 차가 300에 가장 가까운 뺄셈식을 만드세요.

| 287 | 408 | 513 | 591 |

**구** 차가 300에 가장 가까운 뺄셈식

**주** 네 개의 수: 287, 408, 513, 591

**어** ❶ 각 수가 몇백에 더 가까운지 어림한 다음,
❷ 어림한 수끼리의 차가 300에 가장 가까운 두 수를 찾자.

**해** ❶ 각 수가 몇백에 더 가까운지 어림하기
287 ➔ 300, 408 ➔ 400, 513 ➔ 500, 591 ➔ 600

❷ 차가 300에 가장 가까운 두 수 예상하기:
287, 591

❸ 뺄셈식: 591－287＝304

**식** 591－287＝304

**참고** 어림한 두 수의 차가 300에 가까운 287과 591의 실제 차가 591－287＝304로 300에 가장 가깝다.

**독해 문제 4**

**구** **큰**에 ○표

**해** ❶ 780－■＝584, ■＝780－584＝196

**답** 196

❷ ■＝196일 때 780－196＝584이므로 780－■＞584를 만족하려면 780에서 196보다 작은 수를 빼야 한다.

**답** **작아야**에 ○표

**주의** 어떤 수에서 빼는 수가 작을수록 계산 결과는 커진다. 따라서 780에서 196보다 작은 수를 빼야 584보다 커지므로 ■는 196보다 작아야 한다.

❸ 780에서 196보다 작은 수를 빼야 하므로 ■는 196보다 작아야 한다.

**식** ■＜196

❹ ■는 196보다 작은 수이므로 그중 가장 큰 수는 195이다.

**답** 195

**독해 문제 4-1**  정답에서 제공하는 **쌍둥이 문제**

■에 알맞은 자연수 중에서/ 가장 큰 수를 구하세요.

$$535 - ■ > 227$$

**구** ■에 알맞은 자연수 중에서 가장 큰 수

**주** $535 - ■ > 227$

**어** ❶ >를 =로 바꿔 ■를 구한 다음,
❷ $535 - ■$가 227보다 커야 하므로 실제 ■의 범위를 알아보고,
❸ 이 중 가장 큰 수를 구하자.

**해** ❶ $535 - ■ = 227$, ■$= 535 - 227 = 308$
❷ $535 - ■ > 227$을 만족하려면 ■는 308보다 작아야 한다.
❸ 문제에 주어진 식을 수 하나로 간단히 나타내기: ■$< 308$
❹ ■에 알맞은 자연수 중에서 가장 큰 수: 307

**답** 307

**주의** 535에서 308보다 작은 수를 빼야 227보다 크다. 따라서 ■는 308보다 작은 수인 307, 306……이어야 하므로 가장 큰 수는 307이 된다.

**4 STEP** 창의·융합·코딩 **체험**하기  22~25쪽

**융합 1**

$266 - 178 = 88$(명)

**답** 88명

**코딩 2**

⑴ 입력값 263은 100보다 큰 수이므로 '예'로 간다.
➡ $263 - 119 = 144$이므로 출력되는 값은 144이다.

**답** 144

⑵ 입력값 85는 100보다 작은 수이므로 '아니요'로 간다.
➡ $85 + 293 = 378$이므로 출력되는 값은 378이다.

**답** 378

**창의 3**

가장 큰 점수를 얻으려면 가장 큰 수와 두 번째로 큰 수가 쓰여 있는 풍선을 맞혀야 한다.
가장 큰 수: 641
두 번째로 큰 수: 605
➡ 얻을 수 있는 가장 큰 점수:
$641 + 605 = 1246$(점)

**답** 1246점

**창의 4**

누른 횟수의 차를 구하면 $656 - 491 = 165$이므로
⬤를 165번 더 많이 눌렀다.
따라서 펭귄은 ㉠ 방향으로 165칸 이동해 있다.

**답** ㉠에 ○표, 165

**코딩 5**

⑴ $329 > 145$이므로
(파란 너구리 수) - (빨간 너구리 수)
$= 329 - 145 = 184$(마리)

**답** 184마리

⑵ 파란 너구리가 1마리씩 늘어나는 A만 눌러 파란 너구리와 빨간 너구리 수의 차가 200마리가 되어야 한다. 현재 화면에는 파란 너구리가 184마리 더 많으므로 파란 너구리가 $200 - 184 = 16$(마리) 더 있어야 한다. 따라서 파란 너구리 수가 늘어나는 A를 16번 눌러야 한다.

**답** 16번

**참고** D를 16번 눌러도 빨간 너구리 수가 16마리 줄어들므로 두 너구리 수의 차가 200마리가 된다.

**융합 6**

(오늘 오후에 입장한 사람 수)
$= 219 + 237 = 456$(명)
입장하지 못한 사람이 있었으므로 오늘 오후까지 천재 식물원에 입장한 사람은 모두 900명이다.
따라서 오전에 입장한 사람은 $900 - 456 = 444$(명)이다.

**답** 444명

**주의** 입장하지 못한 사람이 있다는 것은 오전에 입장한 사람 수와 오후에 입장한 어른 219명, 어린이 237명의 합이 900명이라는 것을 알려주기 위한 조건이다.

**융합 7**

고장 난 계산기로 계산한 식을 보면 덧셈은 뺄셈으로, 뺄셈은 덧셈으로 바꿔 계산한 결과가 나왔다.

따라서 524+337을 계산하면 524-337=187로, 717-125를 계산하면 717+125=842로 계산 결과가 나온다.

답 **187, 842**

**종합평가 실전 마무리 하기** 26~29쪽

**1** ❶ 삼각형에 있는 수: 813, 145
　　❷ 813+145=958

답 **958**

**2** ❶ (노란 색종이 수)=543-203=340(장)
　　❷ (빨간 색종이와 노란 색종이 수)
　　　=543+340=883(장)

답 **883장**

**3** ❶ 뒤집어 놓은 종이에 적힌 세 자리 수를 □로 하여 덧셈식 세우기: 387+□=675
　　❷ 387+□=675,
　　　□=675-387=288
　　➡ 뒤집어 놓은 종이에 적힌 세 자리 수: 288

답 **288**

**4** ❶ (가~라)의 거리:
　　　528+382=910 (m)
　　❷ (나~라)의 거리:
　　　910-253=657 (m)

답 **657 m**

**5** ❶ 만든 수 중 가장 큰 수: 810
　　❷ 만든 수 중 가장 작은 수: 108

참고 3장의 수 카드에 0이 있을 때 가장 작은 세 자리 수 만들기:
(둘째로 작은 수) ➡ 0 ➡ (남은 수)의 순서로 백의 자리부터 수 카드를 차례로 놓는다.

　　❸ 차: 810-108=702

답 **702**

**6** ❶ 245+■=437,
　　　■=437-245=192
　　❷ 문제의 식을 수 하나로 간단히 나타내기:
　　　■>192

참고 245+■는 437보다 커야 하므로 실제로 ■는 ❶에서 구한 192보다 크다.

　　❸ ■에 알맞은 자연수 중 가장 작은 수: 193

답 **193**

**7** ❶ 일의 자리 숫자끼리의 합이 3인 두 수끼리 짝 지으면 (496, 457), (664, 279)
　　❷ [예상 1] 496+457=953
　　　[예상 2] 664+279=943
　　❸ 뽑은 두 장의 수 카드: 496, 457

답 **496, 457**

**8** ❶ 어떤 수를 □라 하여 잘못 계산한 식을 쓰면
　　　□+259=805
　　❷ □+259=805, □=805-259=546
　　❸ 바르게 계산한 값: 546-259=287

답 **287**

**9** ❶ (사탕을 사기 전 선우가 갖고 있던 금액)
　　　=230+750=980(원)
　　❷ (선우가 처음에 갖고 있던 용돈)
　　　=980-500=480(원)

참고 선우가 처음에 갖고 있던 용돈은 어머니께서 500원을 주시기 전이다.

답 **480원**

**10** ❶ 각 수가 몇백에 더 가까운지 어림하기:
　　　725 ➡ 700, 298 ➡ 300, 318 ➡ 300,
　　　414 ➡ 400
　　❷ 차가 300에 가장 가까운 두 수 예상하기:
　　　725, 414

참고 700-400=300이므로 700으로 어림한 725와 400으로 어림한 414를 차가 300에 가장 가까운 두 수로 예상할 수 있다.

　　❸ 뺄셈식: 725-414=311

식 **725-414=311**

# 2 평면도형

## FUN 한 기억 노트    30～31쪽

선분은 **두 점을 곧게 이은 선** 이지.

반직선은 **한 점에서 시작하여 한쪽으로 끝없이 늘인 곧은 선** 이야.

이것도 반직선

직선은 **선분을 양쪽으로 끝없이 늘인 곧은 선** 이군.

### 여러 가지 평면도형을 알아볼까?
- 각, 직각은 반직선으로 이루어진 도형이야.
- 직각삼각형, 직사각형은 직각이 있는 도형이야.

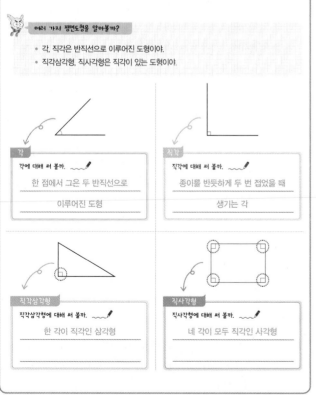

**각**
각에 대해 써 볼까.
한 점에서 그은 두 반직선으로
이루어진 도형

**직각**
직각에 대해 써 볼까.
종이를 반듯하게 두 번 접었을 때
생기는 각

**직각삼각형**
직각삼각형에 대해 써 볼까.
한 각이 직각인 삼각형

**직사각형**
직사각형에 대해 써 볼까.
네 각이 모두 직각인 사각형

---

### 선행 문제 1

4

### 실행 문제 1

❶ ⑥ / 2
   ④, ⑤ / 4
❷ 4, 2, 2    답 2개

### 쌍둥이 문제 1-1

❶ 전략 그은 점선으로 생긴 도형에 번호를 매겨 직사각형과 직각삼각형 수를 각각 세어 보자.

직사각형: ④, ⑤ ➡ 2개
직각삼각형: ①, ②, ③, ⑥ ➡ 4개

❷ 전략 ❶에서 구한 두 수의 차를 구하자.
4－2＝2(개)    답 2개

참고 (직사각형 수)＋(직각삼각형 수)＝(전체 조각 수)

### 선행 문제 2

(1) **한**
(2) **네**
(3) **직각, 네**

### 실행 문제 2

❶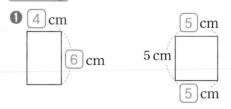

다른 점 예 직사각형은 네 변의 길이가 모두 같지 않지만 정사각형은 네 변의 길이가 모두 같다.

### 쌍둥이 문제 2-1

❶ 예 직사각형과 정사각형 모두 변이 4개씩 있다.
❷ 예 직사각형과 정사각형 모두 직각이 4개씩 있다.

참고 정사각형은 직사각형 중 네 변의 길이가 모두 같은 사각형이므로 직사각형의 특징을 살펴보면 같은 점을 쉽게 찾을 수 있다.

## 선행 문제 3

(1) 4

(2) 2

## 실행 문제 3

❶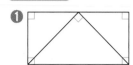

❷ 5

답 5개

## 쌍둥이 문제 3-1

❶ 전략 직각을 모두 찾아 └┐로 표시하자.

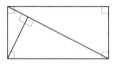

❷ 전략 ❶에서 └┐로 표시한 직각의 수를 구하자.

직각의 수: 6개

답 6개

> 주의 두 각을 합쳐 직각인 경우도 있음을 잊지 않고 세어야 한다.

## 선행 문제 4

(1) 18, 18, 9

(2) 28, 28, 7

## 실행 문제 4

❶ 5 / 5, 7

❷ 7, 5, 2

답 2

## 쌍둥이 문제 4-1

❶ 전략 ((가로)+(세로))×2=18이고, 9×2=18임을 이용하여 (가로)+(세로)를 구하자.

(7+■)×2=18,

7+■=9

❷ ■=9−7=2

답 2

## 선행 문제 5

(1) 3

(2) 2

(3) 1

## 실행 문제 5

❶ 4, 4, 1

> 참고
>
> | | ① | ② |
> |---|---|---|
> | | ③ | ④ |
>
> 1칸짜리: ①, ②, ③, ④
> 2칸짜리: ①+②, ①+③, ②+④, ③+④
> 4칸짜리: ①+②+③+④

❷ 9

답 9개

## 쌍둥이 문제 5-1

❶ 전략 작은 직사각형 1칸, 2칸, 3칸, 4칸으로 이루어진 직사각형의 수를 세어 보자.

1칸짜리: 5개, 2칸짜리: 5개,

3칸짜리: 1개, 4칸짜리: 1개

> 참고
>
> | ① | ② | |
> |---|---|---|
> | ③ | ④ | ⑤ |
>
> 1칸짜리: ①, ②, ③, ④, ⑤
> 2칸짜리: ①+②, ③+④, ④+⑤, ①+④, ②+⑤
> 3칸짜리: ③+④+⑤
> 4칸짜리: ①+②+④+⑤

❷ 크고 작은 직사각형의 수: 12개

답 12개

## 선행 문제 6

## 실행 문제 6

❶ 13

> 참고 변을 옮겨 만든 직사각형의 가로는
> (큰 정사각형의 한 변)+(작은 정사각형의 한 변)
> =9+4=13 (cm)

❷ 13, 13, 44

답 44 cm

**쌍둥이 문제 6-1**

① 전략 변을 옮겨 직사각형을 만들고, 만든 직사각형의 가로와 세로의 길이를 구하자.
변을 옮겨 만든 직사각형의
가로: 10 cm, 세로: 7 cm

참고
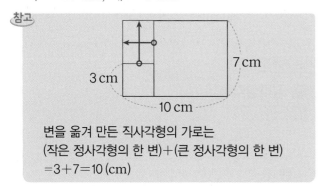

변을 옮겨 만든 직사각형의 가로는
(작은 정사각형의 한 변)+(큰 정사각형의 한 변)
=3+7=10 (cm)

② 전략 ①에서 만든 직사각형의 네 변의 길이의 합을 구하자.
(굵은 선의 길이)=10+7+10+7=34 (cm)
답 **34 cm**

**수학 사고력 키우기** 38~43쪽

**대표 문제 1**

구 차

해 ① 직사각형: ⑦ ➡ 1개
직각삼각형:
①, ②, ④, ⑤, ⑧, ⑨, ⑩, ⑪ ➡ 8개
답 **1개, 8개**

② (직각삼각형의 수)−(직사각형의 수)
=8−1=7(개)  답 **7개**

**쌍둥이 문제 1-1**

구 점선을 따라 모두 잘랐을 때 생기는 직사각형과 직각삼각형 수의 차

어 ① 직사각형과 직각삼각형 수를 각각 구한 다음,
② 구한 두 수의 차를 구하자.

① 전략 잘랐을 때 생기는 도형에 직각이 4개인 사각형과 직각이 1개인 삼각형의 수를 각각 구하자.

직사각형: ①, ② ➡ 2개
직각삼각형: ③, ④, ⑤, ⑥, ⑧, ⑨ ➡ 6개

② 전략 (많이 생긴 도형의 수)−(적게 생긴 도형의 수)
(직각삼각형의 수)−(직사각형의 수)
=6−2=4(개)  답 **4개**

**대표 문제 2**

구 이름

해 ① 4개의 선분으로 둘러싸인 도형은 사각형이다.
답 **사각형**

② 사각형 중 네 각이 모두 직각인 도형은 직사각형이다.  답 **직사각형**

③ 직사각형 중 네 변의 길이가 모두 같은 도형은 정사각형이다.  답 **정사각형**

참고
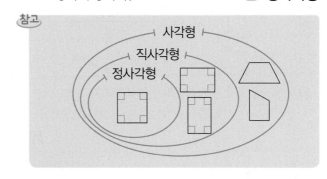

**쌍둥이 문제 2-1**

구 조건을 모두 만족하는 도형의 이름

어 [조건 1]부터 차례로 만족하는 도형을 알아보자.

① 전략 변과 꼭짓점이 각각 3개씩인 도형을 찾자.
변과 꼭짓점이 각각 3개씩인 도형: 삼각형

② 전략 ①에서 구한 도형 중 직각이 1개인 도형을 찾자.
삼각형 중 직각이 1개인 도형: 직각삼각형
답 **직각삼각형**

참고
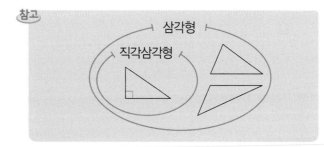

**대표 문제 3**

구 직각

해 ①
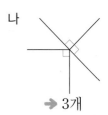
가 ➡ 5개
나 ➡ 3개
답 **5개, 3개**

② 직각이 가는 5개, 나는 3개이므로 직각의 수가 더 많은 것은 가이다.
답 **가**

**쌍둥이 문제 3-1**

구 직각의 수가 더 많은 것

어 ❶ 가와 나에서 찾을 수 있는 직각의 수를 각각 구한 후,

❷ 직각이 더 많은 것의 기호를 쓰자.

❶ (전략) 한 각이 직각이 되는 각과 두 각을 합쳐 직각이 되는 각을 모두 찾자.

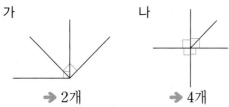

가 ➡ 2개    나 ➡ 4개

❷ (전략) ❶에서 구한 직각의 수를 비교하자.

2 < 4이므로 직각의 수가 더 많은 것은 나이다.

답 **나**

**대표 문제 4**

구 **세로에 ◯표**

해 ❶ (정사각형의 네 변의 길이의 합)

= (한 변) × 4

= 4 × 4 = 16 (cm)

답 **16 cm**

❷ 두 도형의 네 변의 길이의 합이 같으므로 직사각형의 네 변의 길이의 합은 16 cm이다.

답 **16 cm**

❸ (5 + ☐) × 2 = 16이고

곱셈구구에서 8 × 2 = 16이므로

5 + ☐ = 8, ☐ = 3이다.

답 **3**

**쌍둥이 문제 4-1**

구 직사각형의 가로

어 ❶ 정사각형의 네 변의 길이의 합을 구한 후,

❷ 정사각형과 직사각형의 네 변의 길이의 합이 같음을 이용해

❸ 직사각형의 가로를 구하자.

❶ (전략) 정사각형의 네 변의 길이는 모두 같음을 이용하자.

(정사각형의 네 변의 길이의 합)

= 3 × 4 = 12 (cm)

❷ (전략) (직사각형의 네 변의 길이의 합)

= (정사각형의 네 변의 길이의 합)

(직사각형의 네 변의 길이의 합) = 12 cm

❸ (전략) (직사각형의 네 변의 길이의 합)

= ((가로) + (세로)) × 2

(☐ + 1) × 2 = 12이고

곱셈구구에서 6 × 2 = 12이므로

☐ + 1 = 6, ☐ = 5이다.

답 **5**

**대표 문제 5**

구 **직각삼각형**

해

❶ ①, ②, ③, ④ ➡ 4개

답 **4개**

❷ ① + ②, ③ + ④, ① + ③, ② + ④ ➡ 4개

답 **4개**

참고 ┃ 도형에서 찾을 수 있는 가장 큰 직각삼각형은 작은 직각삼각형 2칸짜리로 이루어진  이다.

❸ 답 **8개**

**쌍둥이 문제 5-1**

구 크고 작은 직각삼각형의 수

어 ❶ 작은 직각삼각형 1칸짜리로 이루어진 직각삼각형 (△)의 수와 작은 직각삼각형 4칸짜리로 이루어진 직각삼각형 (△)의 수를 각각 구한 후,

❷ 구한 두 수의 합을 구하자.

해

❶ (전략) △와 같은 모양의 수를 세어 보자.

1칸짜리: ①, ②, ③, ④ ➡ 4개

❷ (전략) △와 같은 모양의 수를 세어 보자.

4칸짜리: ① + ② + ③ + ④ ➡ 1개

❸ (전략) ❶과 ❷에서 찾은 두 수를 더하자.

크고 작은 직각삼각형의 수: 4 + 1 = 5(개)

답 **5개**

**대표 문제 6**

구 길이

주 한 변의 길이가 5 cm인 정사각형 1개,
  한 변의 길이가 10 cm인 정사각형 1개

해 ❶ 변을 옮겨 직사각형을 만들고, 만든 직사각형의
  가로와 세로의 길이를 구하면
  (가로)=(작은 정사각형의 한 변)
  　　　+(큰 정사각형의 한 변)
  　　　=5+10=15 (cm),
  (세로)=(큰 정사각형의 한 변)
  　　　=10 cm

답 (위에서부터) **10, 15**

❷ (굵은 선의 길이)
  =15+10+15+10
  =50 (cm)

답 **50 cm**

**쌍둥이 문제 6-1**

구 도형을 둘러싼 굵은 선의 길이

주 한 변의 길이가 12 cm인 정사각형 1개,
  한 변의 길이가 7 cm인 정사각형 1개

어 ❶ 변을 옮겨 직사각형을 만들고, 만든 직사각형의
  가로와 세로의 길이를 구한 후,

　❷ 변을 옮겨 만든 직사각형의 네 변의 길이의 합이
  굵은 선의 길이와 같음을 이용해 굵은 선의 길이
  를 구하자.

❶ [전략] 변을 옮겨 만든 직사각형의 가로와 세로의 길이를
  구하자.

  가로: 19 cm, 세로: 12 cm

참고
변을 옮겨 직사각형을 만들고, 만든 직사각형 가로
와 세로의 길이를 구하면
(가로)=(큰 정사각형의 한 변)
　　　+(작은 정사각형의 한 변)
　　　=12+7=19 (cm),
(세로)=(큰 정사각형의 한 변)=12 cm

❷ [전략] ❶에서 변을 옮겨 만든 직사각형의 네 변의 길이의
  합을 구하자.

  (굵은 선의 길이)
  =19+12+19+12
  =62 (cm)

답 **62 cm**

---

**3 STEP 수학 독해력 완성하기** 44~47쪽

**독해 문제 1**

구 정사각형

주 •같은에 ○표
  •7, 5

해 ❶ (직사각형의 네 변의 길이의 합)
  =7+5+7+5=24 (cm)

답 **24 cm**

❷ 직사각형과 정사각형의 네 변의 길이의 합은 같
  다.

답 **24 cm**

❸ 6×4=24이므로 정사각형의 한 변의 길이는
  6 cm이다.

답 **6 cm**

**독해 문제 1-1**　정답에서 제공하는 **쌍둥이 문제**

직사각형과 정사각형의 네 변의 길이의 합은 같습
니다./ 정사각형의 한 변의 길이는 몇 cm인가요?

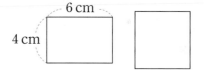

구 정사각형의 한 변의 길이

주 •네 변의 길이의 합이 같은 직사각형과 정사각형
  •직사각형의 가로: 6 cm,
  직사각형의 세로: 4 cm

어 ❶ 직사각형의 네 변의 길이의 합을 구한 다음,

　❷ 직사각형과 정사각형의 네 변의 길이의 합
  이 같음을 이용하여

　❸ 정사각형의 한 변의 길이를 구하자.

해 ❶ (직사각형의 네 변의 길이의 합)
  =6+4+6+4=20 (cm)

❷ 직사각형과 정사각형의 네 변의 길이의 합
  이 같으므로 정사각형의 네 변의 길이의 합
  은 20 cm이다.

❸ 5×4=20이므로 정사각형의 한 변의 길이
  는 5 cm이다.

답 **5 cm**

독해 문제 | 2

구 합

주 •2 •10

해 ❶ (큰 정사각형의 한 변)
= (작은 정사각형의 한 변)
+ (작은 정사각형의 한 변)이고
10=5+5이므로
(작은 정사각형의 한 변)=5 cm이다.

답 5 cm

❷ (만든 직사각형의 가로)
= (큰 정사각형의 한 변)
+ (작은 정사각형의 한 변)
=10+5=15 (cm)

답 15 cm

❸ (만든 직사각형의 네 변의 길이의 합)
=15+10+15+10=50 (cm)

답 50 cm

독해 문제 | 2-1　　　　정답에서 제공하는 **쌍둥이 문제**

정사각형 3개를 겹치지 않게 붙여 만든 직사각형입니다./
만든 직사각형의 네 변의 길이의 합은 몇 cm인가요?

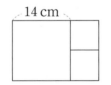

14 cm

구 만든 직사각형의 네 변의 길이의 합

주 •큰 정사각형의 한 변에 크기가 같은 작은 정사
각형 2개를 붙여 만든 직사각형
•큰 정사각형의 한 변의 길이: 14 cm

어 ❶ 작은 정사각형의 한 변의 길이를 큰 정사각
형의 한 변의 길이를 이용해 구하고,
❷ 만든 직사각형의 가로를 구해
❸ 만든 직사각형의 네 변의 길이의 합을 구하자.

해 ❶ 14=7+7이므로
(작은 정사각형의 한 변)=7 cm이다.

❷ (만든 직사각형의 가로)
=14+7=21 (cm)

❸ (만든 직사각형의 네 변의 길이의 합)
=21+14+21+14=70 (cm)

답 70 cm

독해 문제 | 3

구 길이

주 •2
•4

해 ❶ 답 (위에서부터) 24, 10

❷ (굵은 선의 길이)
= (❶에서 변을 옮겨 만든 직사각형의 네 변의
길이의 합)
=24+10+24+10
=68 (cm)

답 68 cm

독해 문제 | 3-1　　　　정답에서 제공하는 **쌍둥이 문제**

직사각형 2개를 겹치지 않게 붙여 만든 도형입니다./
도형을 둘러싼 굵은 선의 길이는 몇 cm인가요?

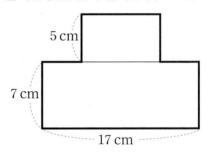

5 cm

7 cm

17 cm

구 도형을 둘러싼 굵은 선의 길이

주 •직사각형 2개를 붙여 만든 도형
•도형의 주어진 변의 길이: 5 cm, 7 cm,
17 cm

어 ❶ 변을 옮겨 직사각형을 만들고, 만든 직사각
형의 가로와 세로의 길이를 알아본 후,
❷ 변을 옮겨 만든 직사각형의 네 변의 길이의
합이 굵은 선의 길이와 같음을 이용해 굵은
선의 길이를 구하자.

해 ❶ 변을 옮겨 직사각형을 만들고, 만든 직사각
형의 가로와 세로의 길이를 쓰면
가로: 17 cm,
세로: 5+7=12 (cm)

❷ (굵은 선의 길이)
= (❶에서 변을 옮겨 만든 직사각형의 네 변
의 길이의 합)
=17+12+17+12
=58 (cm)

답 58 cm

독해 문제 4

구 **작은**에 ○표

주 5, 14

해 ❶ 정사각형은 네 변의 길이가 모두 같으므로
(선분 ㄴㅈ)=(선분 ㄱㄴ)
　　　　　　=5 cm이고,
(선분 ㅈㄷ)=(선분 ㄴㄷ)-(선분 ㄴㅈ)
　　　　　　=14-5=9 (cm)이므로
(선분 ㅂㅈ)=(선분 ㅈㄷ)
　　　　　　=9 cm이다.

답 **9 cm**

참고 (선분 ㄴㄷ)
=(선분 ㄴㅈ)+(선분 ㅈㄷ)
=14 cm

❷ (선분 ㅇㅈ)=(선분 ㄱㄴ)
　　　　　　=5 cm이므로
(선분 ㅂㅇ)=(선분 ㅂㅈ)-(선분 ㅇㅈ)
　　　　　　=9-5=4 (cm)이다.

답 **4 cm**

❸ (선분 ㅂㅇ)=4 cm이고 정사각형 ㅁㅅㅇㅂ은 네 변의 길이가 모두 같으므로
네 변의 길이의 합은 4×4=16 (cm)이다.

답 **16 cm**

독해 문제 4-1　　　정답에서 제공하는 **쌍둥이 문제**

크기가 다른 정사각형 3개를 겹치지 않게 붙여 만든 것입니다. /
정사각형 ㅁㅅㅇㅂ의 네 변의 길이의 합을 구하세요.

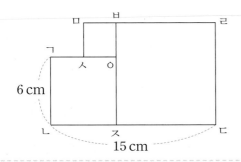

구 가장 작은 정사각형의 네 변의 길이의 합

주 •크기가 다른 정사각형 3개
　•선분 ㄱㄴ의 길이: 6 cm,
　　선분 ㄴㄷ의 길이: 15 cm

어 ❶ 정사각형은 네 변의 길이가 모두 같다는 것과 선분의 길이의 차를 이용하여 가장 큰 정사각형의 한 변인 선분 ㅂㅈ의 길이와 가장 작은 정사각형의 한 변인 선분 ㅂㅇ의 길이를 구한 후,
❷ 가장 작은 정사각형 ㅁㅅㅇㅂ의 네 변의 길이의 합을 구하자.

해 ❶ 정사각형은 네 변의 길이가 모두 같으므로
(선분 ㄴㅈ)=(선분 ㄱㄴ)
　　　　　　=6 cm이고,
(선분 ㅈㄷ)=(선분 ㄴㄷ)-(선분 ㄴㅈ)
　　　　　　=15-6=9 (cm)
➡ (선분 ㅂㅈ)=(선분 ㅈㄷ)=9 cm

❷ (선분 ㅇㅈ)=(선분 ㄱㄴ)
　　　　　　=6 cm이므로
(선분 ㅂㅇ)=(선분 ㅂㅈ)-(선분 ㅇㅈ)
　　　　　　=9-6=3 (cm)이다.

❸ (선분 ㅂㅇ)=3 cm이고 정사각형 ㅁㅅㅇㅂ은 네 변의 길이가 모두 같으므로
네 변의 길이의 합은 3×4=12 (cm)이다.

답 **12 cm**

**4** STEP 창의·융합·코딩 체험하기　48~51쪽

창의 ❶

직각삼각형 모양 조각만 사용하여 그림을 완성한 다음 정사각형 8개로 놓을 수 있는 부분을 찾아 남은 직각삼각형 모양 조각의 수를 세어 본다.

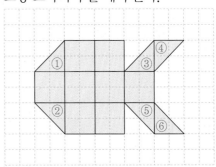

답 **6개**

창의 **2**

답 예

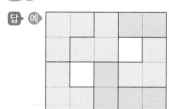

/ 예 4개, 예 3개

참고

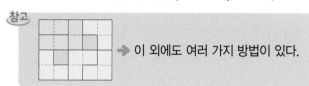

➡ 이 외에도 여러 가지 방법이 있다.

창의 **3**

색종이를 2번 접었다 펼치면 오른쪽과
같이 직각을 8개 찾을 수 있다.

답

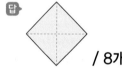

/ 8개

창의 **4**

• 주사위 1개짜리:  ➡ 1개

• 주사위 2개짜리: [그림], [그림], [그림] ➡ 3개

• 주사위 3개짜리: [그림], [그림] ➡ 2개

• 주사위 4개짜리: [그림] ➡ 1개

• 주사위 6개짜리: [그림] ➡ 1개

따라서 파란색 주사위를 포함하는 크고 작은 직사각형
은 모두 $1+3+2+1+1=8$(개)이다. 답 **8개**

코딩 **5**

토끼가 앞으로 2칸 가고 왼쪽으로 직각만큼 도는 것을
4번 반복하였다. 답 (위에서부터) **4, 2**

참고 정사각형은 네 변의 길이가 모두 같으므로 '앞으로 2칸
가고 직각 돌기'를 4번 반복해서 그릴 수 있다.

코딩 **6**

토끼가 앞으로 3칸 간 뒤 왼쪽으로 직각만큼 돌고, 앞
으로 1칸 간 뒤 왼쪽으로 직각만큼 도는 것을 2번 반
복하였다.

답 (위에서부터) **2, 3, 1**

주의 직사각형은 가로와 세로의 길이가 다르므로 '앞으로 3칸
가고 직각 돌기, 앞으로 1칸 가고 직각 돌기'를 2번 반
복해서 그릴 수 있다.

코딩 **7**

(⬤3, ▲) ▢2에서
①   ②   ③

① 앞으로 3칸 이동

② 오른쪽으로 직각만큼 돌기

③ 2번 반복한다.

답

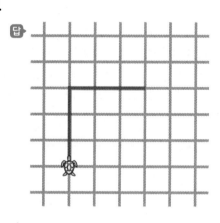

코딩 **8**

(⬤4, ▲) ▢3에서
①   ②   ③

① 앞으로 4칸 이동

② 오른쪽으로 직각만큼 돌기

③ 3번 반복한다.

답

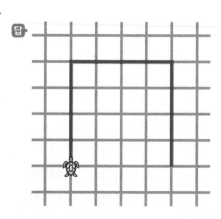

## 실전 마무리하기 52~55쪽

**1** ❶ (2+(긴 변))×2=16
2+(긴 변)=8

> **참고** 곱셈구구에서 8×2=16이므로 2+(긴 변)=8이다.

❷ (긴 변)=8−2=6 (cm)

**답 6 cm**

**2** ❶ 정사각형의 한 변의 길이가 8개 있다.
❷ (만든 직사각형의 네 변의 길이의 합)
=3×8=24 (cm)

**답 24 cm**

**3** ❶ 정사각형의 네 변의 길이는 모두 같으므로
(선분 ㅅㄷ)=(선분 ㄴㄷ)=16 cm
❷ (선분 ㅂㄷ)=(선분 ㅁㄹ)=9 cm
❸ (선분 ㅅㅂ)=(선분 ㅅㄷ)−(선분 ㅂㄷ)
=16−9=7 (cm)

**답 7 cm**

**4** ❶ 직각삼각형: ①, ②, ③, ⑥, ⑦ ➡ 5개
직사각형: ④ ➡ 1개
❷ 5−1=4(개)

**답 4개**

**5** ❶ 변과 꼭짓점이 각각 4개씩인 도형: 사각형
❷ 사각형 중 직각이 4개인 도형: 직사각형
❸ 직사각형 중 변의 길이가 모두 같은 도형:
정사각형

**답 정사각형**

**6** ❶ 가에서 찾을 수 있는 직각의 수: 3개
나에서 찾을 수 있는 직각의 수: 2개

> **참고**
>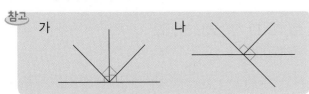

❷ 3>2이므로 직각의 수가 더 적은 것은 나이다.

**답 나**

**7** ❶ (정사각형의 네 변의 길이의 합)
=4×4=16 (cm)
❷ (직사각형의 네 변의 길이의 합)=16 cm
❸ (6+□)×2=16이므로
6+□=8, □=2

> **참고** ❸ 곱셈구구에서 8×2=16이므로 6+□=8이다.
> ➡ 6+□=8, □=8−6=2

**답 2**

**8** ❶ 20=10+10이므로
(작은 정사각형의 한 변)=10 cm
❷ (만든 직사각형의 가로)=10+20=30 (cm)
❸ (만든 직사각형의 네 변의 길이의 합)
=30+20+30+20=100 (cm)

**답 100 cm**

> **참고** 작은 정사각형 2개가 서로 한 변이 만나고 있으므로 크기가 같고,
> (큰 정사각형의 한 변)=(작은 정사각형의 한 변)
> +(작은 정사각형의 한 변)이다.
> 이때, (만든 직사각형의 가로)=(작은 정사각형의 한 변)
> +(큰 정사각형의 한 변),
> (만든 직사각형의 세로)=(큰 정사각형의 한 변)이다.

**9** ❶ 변을 옮겨 직사각형을 만들면 가로는 15 cm,
세로는 10 cm
❷ (굵은 선의 길이)
=15+10+15+10=50 (cm)

> **참고** (굵은 선의 길이)
> =(❶에서 변을 옮겨 만든 직사각형의 네 변의 길이의 합)

**답 50 cm**

**10**

❶ 1칸짜리: ①, ②, ③, ④ ➡ 4개
❷ 2칸짜리: ①+②, ②+③, ③+④, ①+④,
①+⑤, ②+⑥ ➡ 6개
❸ 4칸짜리: ①+②+⑤+⑥ ➡ 1개
❹ 크고 작은 직각삼각형의 수: 4+6+1=11(개)

**답 11개**

## 3 나눗셈

> 5, 8
> 8, 9

 STEP 문제 해결력 기르기    58~61쪽

### 선행 문제 1

(1) 2, 2, 9
(2) 5, 5, 3

### 실행 문제 1

❶ ÷에 ○표
❷ 8, 5

> 답 5개

### 쌍둥이 문제 1-1

❶ 전략 똑같이 나누어 심을 때 이용하는 기호를 정하자.
화분 한 개에 똑같은 수만큼씩 나누어 심어야 하므로 ÷를 이용한다.
❷ 전략 (전체 튤립의 수)÷(화분 한 개에 심는 튤립의 수)
(화분의 수)=56÷7
=8(개)

> 답 8개

### 선행 문제 2

① 4, 36
② 36, 4

### 실행 문제 2

❶ 8, 24
❷ 24, 4

> 답 4자루

### 쌍둥이 문제 2-1

❶ 전략 (한 줄에 놓여 있는 탁구공의 수)×(줄 수)
(전체 탁구공의 수)=6×4
=24(개)
❷ 전략 (전체 탁구공의 수)÷(팀 수)
(한 팀이 가지는 탁구공의 수)
=24÷8=3(개)

> 답 3개

### 선행 문제 3

2, 3
많다에 ○표

### 실행 문제 3

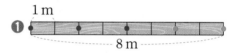

1 m

8 m

❷ 5, 4, 1

> 답 +

### 쌍둥이 문제 3-1

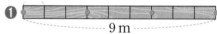

1 m

9 m

❷ 점의 수: 4
점 사이의 간격 수: 3
➜ 점의 수가 점 사이의 간격 수보다 1만큼 더 많다.

> 식 예 (점의 수)=(점 사이의 간격 수)+1

### 선행 문제 4

① 56
② 36
③ 63

### 실행 문제 4

❶ 12, 13, 21, 23, 31, 32
❷ 12, 32

> 참고
> 4×3=12 ↔ 12÷4=3
> 4×8=32 ↔ 32÷4=8

> 답 12, 32

**쌍둥이 문제 4-1**

❶ 전략 한 장씩 십의 자리에 놓고 나머지 수 카드를 한 번씩 일의 자리에 놓자.

만든 두 자리 수: 15, 16, 51, 56, 61, 65

❷ 전략 ❶의 수 중 8단 곱셈구구에 나오는 수를 찾자.

8로 나누어지는 수: 16, 56

참고
$8 \times 2 = 16 \leftrightarrow 16 \div 8 = 2$
$8 \times 7 = 56 \leftrightarrow 56 \div 8 = 7$

답 16, 56

# 수학 사고력 키우기   62~65쪽

**대표 문제 ❶**

구 차에 ○표

주 •54
•6

해 ❶ 스케치북: $48 \div 6 = 8$(권)
공책: $54 \div 6 = 9$(권)      답 8권, 9권

❷ $9 - 8 = 1$(권)      답 1권

**쌍둥이 문제 1-1**

구 한 명이 가지게 되는 색연필 수와 연필 수의 차

주 •연필 28자루와 색연필 36자루
•각각 4명에게 똑같이 나누어 줌.

❶ 전략 (전체 연필 수)÷(학생 수),
(전체 색연필 수)÷(학생 수)를 구하자.

연필: $28 \div 4 = 7$(자루)
색연필: $36 \div 4 = 9$(자루)

❷ 전략 ❶에서 구한 두 수의 차를 구하자.

$9 - 7 = 2$(자루)

답 2자루

**다르게 풀기**

❶ 전략 색연필이 연필보다 몇 자루 더 많은지 알아보자.

(전체 색연필 수)−(전체 연필 수)$= 36 - 28$
$= 8$(자루)

❷ 전략 ❶에서 구한 수를 나누어 갖는 사람 수로 나누자.

$8 \div 4 = 2$(자루)

답 2자루

**대표 문제 ❷**

주 •5
•7

해 ❶ $6 \times 9 = 54$(개)      답 54개

❷ $54 - 5 = 49$(개)      답 49개

❸ $49 \div 7 = 7$(개)      답 7개

**쌍둥이 문제 2-1**

구 접시 한 개에 담을 딸기의 수

주 •8개씩 4줄로 놓여 있는 딸기 중 버린 딸기는 2개
•나누어 담을 접시의 수: 5개

❶ (처음 있던 딸기의 수)$= 8 \times 4$
$= 32$(개)

❷ (버리고 남은 딸기의 수)$= 32 - 2$
$= 30$(개)

❸ (접시 한 개에 담을 딸기의 수)$= 30 \div 5$
$= 6$(개)

답 6개

**대표 문제 ❸**

구 한쪽에 ○표

주 40, 5

해 ❶ $40 - 5 - 5 - 5 - 5 - 5 - 5 - 5 - 5 = 0$
➜ $40 \div 5 = 8$(군데)

답 8군데

❷ (심을 나무 수)$= 8 + 1$
$= 9$(그루)

답 9그루

**쌍둥이 문제 3-1**

구 도로 한쪽에 세울 가로등의 수

❶ (가로등 사이의 간격 수)$= 42 \div 7$
$= 6$(군데)

❷ 전략 (세울 가로등의 수)=(가로등 사이의 간격 수)+1
(세울 가로등의 수)$= 6 + 1$
$= 7$(개)

답 7개

**대표 문제 4**

구 9

해 ❶ 답 27, 24, 72, 74, 42, 47

❷ $9 \times 3 = 27 \leftrightarrow 27 \div 9 = 3$
$9 \times 8 = 72 \leftrightarrow 72 \div 9 = 8$
답 27, 72

**쌍둥이 문제 4-1**

구 수 카드로 만든 두 자리 수 중 5로 나누어지는 수

어 ❶ 만든 두 자리 수를 모두 쓰고,
❷ 만든 수 중 5단 곱셈구구에 나오는 수를 찾자.

❶ 전략 한 장씩 십의 자리에 놓고 나머지 수 카드를 한 번씩 일의 자리에 놓자.

만든 두 자리 수: 20, 21, 12, 10

주의 십의 자리에는 0이 올 수 없음에 주의한다.

❷ 전략 ❶의 수 중 5단 곱셈구구에 나오는 수를 찾자.

5로 나누어지는 수: 20, 10

참고 $5 \times 4 = 20 \leftrightarrow 20 \div 5 = 4$
$5 \times 2 = 10 \leftrightarrow 10 \div 5 = 2$

답 20, 10

**수학 독해력 완성하기** 66~69쪽

**독해 문제 1**

구 한 가구가 가져가는 포도의 수

주 • 포도가 한 상자에 8송이씩 7상자 있고 더 사 온 포도는 7송이
• 나누어 가져가는 가구 수: 9가구

어 ❶ 전체 포도의 수를 구한 후,
❷ 전체 포도의 수를 나누어 가져가는 가구 수로 나누자.

해 ❶ (처음 있던 포도의 수)
$= 8 \times 7 = 56$(송이)
답 56송이

❷ (더 사 온 후 전체 포도의 수)
$= 56 + 7 = 63$(송이)
답 63송이

❸ (한 가구가 가져가는 포도의 수)
$= 63 \div 9 = 7$(송이)
답 7송이

**독해 문제 1-1**

키위가 한 상자에 6개씩 8줄 있었는데/
6개를 더 사 왔습니다./
이 키위를 9가구가 똑같이 나누어 가지려고 합니다./
한 가구가 가져가는 키위는 몇 개인가요?

구 한 가구가 가져가는 키위의 수

주 • 키위가 한 상자에 6개씩 8줄 있고 더 사 온 키위는 6개
• 나누어 가져가는 가구 수: 9가구

어 ❶ 전체 키위의 수를 구한 후,
❷ 전체 키위의 수를 나누어 가져가는 가구 수로 나누자.

해 ❶ (처음 있던 키위의 수)
$= 6 \times 8 = 48$(개)

❷ (더 사 온 후 전체 키위의 수)
$= 48 + 6 = 54$(개)

❸ (한 가구가 가져가는 키위의 수)
$= 54 \div 9 = 6$(개)

답 6개

**독해 문제 2**

구 만들 수 있는 정사각형의 수

주 • 도화지
→ 가로 12 cm, 세로 20 cm인 직사각형 모양
• 자를 모양
→ 한 변의 길이가 4 cm인 정사각형

어 ❶ 가로와 세로 한 줄에 만들 수 있는 정사각형의 수를 각각 구한 후,
❷ 위 ❶에서 구한 두 수의 곱으로 만들 수 있는 전체 정사각형의 수를 구하자.

해 ❶ (가로 한 줄에 만들 수 있는 정사각형의 수)
$= 12 \div 4 = 3$(개)
답 3개

❷ (세로 한 줄에 만들 수 있는 정사각형의 수)
$= 20 \div 4 = 5$(개)
답 5개

❸ (만들 수 있는 정사각형의 수)
$= 3 \times 5 = 15$(개)
답 15개

독해 문제 | 2-1 　　　　　정답에서 제공하는 **쌍둥이 문제**

가로가 15 cm이고 세로가 40 cm인/
직사각형 모양의 도화지를 잘라/
한 변의 길이가 5 cm인 정사각형을 만들려고 합니다./
정사각형을 몇 개까지 만들 수 있나요?

구 만들 수 있는 정사각형의 수

주 •도화지

　➡ 가로 15 cm, 세로 40 cm인 직사각형 모양

　•자를 모양

　➡ 한 변의 길이가 5 cm인 정사각형

어 ❶ 가로와 세로 한 줄에 만들 수 있는 정사각형
　　의 수를 각각 구한 후,

　❷ 위 ❶에서 구한 두 수의 곱으로 만들 수 있
　　는 전체 정사각형의 수를 구하자.

해 ❶ (가로 한 줄에 만들 수 있는 정사각형의 수)
　　$=15 \div 5=3$(개)

　❷ (세로 한 줄에 만들 수 있는 정사각형의 수)
　　$=40 \div 5=8$(개)

　❸ (만들 수 있는 정사각형의 수)
　　$=3 \times 8=24$(개)

답 **24개**

독해 문제 | 3

구 바르게 계산한 몫

주 •바른 계산: 어떤 수를 3으로 나눈 몫
　•잘못된 계산: 어떤 수를 6으로 나눈 몫은 2

어 ❶ 어떤 수를 □라 하고 잘못 계산한 식을 세운 후
　　곱셈식으로 □를 구한 다음,

　❷ 구한 □를 3으로 나누어 바르게 계산한 몫을 구
　　하자.

해 ❶ 식 □$\div 6=2$

　❷ □$\div 6=2$

　　$6 \times 2=$□, □$=12$

답 **12**

　❸ 바르게 계산한 몫: $12 \div 3=4$

답 **4**

독해 문제 | 3-1 　　　　　정답에서 제공하는 **쌍둥이 문제**

어떤 수를 6으로 나누어야 할 것을/
잘못하여 9로 나누었더니 몫이 4가 되었습니다./
바르게 계산하면 몫은 얼마인가요?

구 바르게 계산한 몫

주 •바른 계산: 어떤 수를 6으로 나눈 몫
　•잘못된 계산: 어떤 수를 9로 나눈 몫은 4

어 ❶ 어떤 수를 □라 하고 잘못 계산한 식을 세운
　　후 곱셈식으로 □를 구한 다음,

　❷ 구한 □를 6으로 나누어 바르게 계산한 몫
　　을 구하자.

해 ❶ 어떤 수를 □로 하여 잘못 계산한 식 쓰기:
　　□$\div 9=4$

　❷ □$\div 9=4$, $9 \times 4=$□, □$=36$

　❸ 바르게 계산한 몫: $36 \div 6=6$

답 **6**

독해 문제 | 4

해 ❶ 4로 나누어지므로 4단 곱셈구구의 곱이다.

답 **4단**

　❷ $4 \times 8=32$ ➡ $3\boxed{2} \div 4=8$
　　$4 \times 9=36$ ➡ $3\boxed{6} \div 4=9$

답 **2, 6**

　❸ $3\boxed{6} \div 4=9$의 몫이 가장 크므로 □ 안에 알맞
　　은 수는 6이다.

답 **6**

독해 문제 | 4-1 　　　　　정답에서 제공하는 **쌍둥이 문제**

2□는 두 자리 수이고 7로 나누어집니다./
다음 나눗셈식의 몫이 가장 크게 될 때/
□ 안에 알맞은 수를 구하세요.

$2□ \div 7$

해 ❶ 7로 나누어지므로 7단 곱셈구구의 곱이다.

　❷ $7 \times 3=21$ ➡ $2\boxed{1} \div 7=3$
　　$7 \times 4=28$ ➡ $2\boxed{8} \div 7=4$

　❸ $2\boxed{8} \div 7=4$의 몫이 가장 크므로 □ 안에
　　알맞은 수는 8이다.

答 **8**

## 독해 문제 | 5

구 **양쪽**에 ○표

주 35, 7

해 ❶ $35-7-7-7-7-7=0$

➡ $35÷7=5$(군데)

답 **5군데**

❷ (가로수길 한쪽에 놓을 의자 수)
$=5+1=6$(개)

답 **6개**

❸ (가로수길 양쪽에 놓을 의자 수)
$=6×2=12$(개)

답 **12개**

## 독해 문제 | 5-1

정답에서 제공하는 **쌍둥이 문제**

길이가 64 m인 가로수길 양쪽에/
8 m 간격으로 처음부터 끝까지 의자를 놓으려고 합니다./
의자는 몇 개 놓을 수 있나요? (단, 의자의 길이는 생각하지 않습니다.)

어 ❶ 나눗셈을 이용해 가로수길 한쪽에 놓을 의자 사이의 간격 수를 구한 후,

❷ 가로수길 한쪽에 놓을 의자 수를 구하고, 2배하여 양쪽에 놓을 의자 수를 구하자.

해 ❶ (가로수길 한쪽에 놓을 의자 사이의 간격 수)
$=64÷8=8$(군데)

❷ (가로수길 한쪽에 놓을 의자 수)
$=8+1=9$(개)

❸ (가로수길 양쪽에 놓을 의자 수)
$=9×2=18$(개)

답 **18개**

## 독해 문제 | 6

주 18

해 ❶ 답 3, 4, 5

❷ (자른 횟수)=(도막 수)-1

답 **3번**

❸ 18분 동안 3번 잘랐으므로 통나무를 한 번 자르는 데 $18÷3=6$(분)이 걸렸다.

답 **6분**

## 독해 문제 | 6-1

정답에서 제공하는 **쌍둥이 문제**

굵기가 일정한 통나무를 쉬지 않고 5도막으로 자르는 데/
모두 16분이 걸렸습니다./
통나무를 한 번 자르는 데 걸린 시간은 몇 분일까요? (단, 한 번 자르는 데 걸리는 시간은 일정합니다.)

구 통나무를 한 번 자르는 데 걸린 시간

주 통나무를 쉬지 않고 5도막으로 자르는 데 걸린 시간: 16분

어 ❶ 통나무를 자른 횟수와 도막 수 사이의 관계를 알아보고,

❷ 5도막이 될 때 자른 횟수를 구해

❸ (총 걸린 시간)을 (자른 횟수)로 나누어 통나무를 한 번 자르는 데 걸린 시간을 구하자.

해 ❶

| 통나무를 자른 횟수(번) | 1 | 2 | 3 | 4 |
|---|---|---|---|---|
| 도막 수(도막) | 2 | 3 | 4 | 5 |

❷ (통나무가 5도막이 될 때 자른 횟수)
$=4$번

❸ 16분 동안 4번 잘랐으므로 통나무를 한 번 자르는 데 $16÷4=4$(분)이 걸렸다.

답 **4분**

## 4 STEP 창의·융합·코딩 체험하기   70~73쪽

융합 ①

6에서 2를 3번 빼면 0이 되므로 계산기 결과는 3이다.

답 **2, 2, 2 / 3**

융합 ②

35에서 7을 5번 빼면 0이 되므로 계산기 결과는 5이다.

답 **7, 7, 7, 7, 7 / 5**

창의 ③

1 m＝100 cm이므로 정사각형을 만드는 데 사용하는 끈의 길이는 100－64＝36 (cm)이다.

➡ (정사각형의 한 변의 길이)＝36÷4
　　　　　　　　　　　　　＝9 (cm)

답 9 cm

창의 ④

4명이 나눠 가지므로 각각 4로 나눈다.
• 1000원: 16÷4＝4(장)
• 500원: 20÷4＝5(장)
• 100원: 32÷4＝8(장)
• 50원: 36÷4＝9(장)

답 4, 5, 8, 9

코딩 ⑤

말의 수보다 토끼의 수가 더 많으므로 [조건 1]에 따라 토끼의 수 32를 8로 나눈다.
➡ 32÷8＝4

답 4

코딩 ⑥

말의 수보다 토끼의 수가 더 적으므로 [조건 2]에 따라 토끼의 수와 말의 수의 합 19＋45＝64를 8로 나눈다.
➡ 64÷8＝8

답 8

코딩 ⑦

35를 넣으면 7이 나오고, 30을 넣으면 6이 나오므로 넣은 수를 5로 나눈 몫이 나오는 규칙이다.
➡ 35÷5＝7
　 30÷5＝6
따라서 25를 넣으면 25÷5＝5가 나온다.

답 5

창의 ⑧

오늘 오전 6시부터 내일 오전 6시까지는 24시간이고, 작품은 4시간이 지나면 제자리로 돌아오므로 내일 오전 6시의 모양은 오늘 오전 6시의 모양이 24÷4＝6(바퀴)를 돌아 제자리로 돌아온 모양이 된다.

답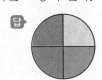

1 ❶ (먹고 남은 고구마의 수)
　　＝27－3＝24(개)
　❷ (봉지 한 개에 담은 고구마의 수)
　　＝24÷4＝6(개)

답 6개

2 ❶ (전체 사탕의 수)＝9×2
　　　　　　　　　＝18(개)
　❷ (한 명이 받은 사탕의 수)＝18÷6
　　　　　　　　　　　　　＝3(개)

답 3개

3 ❶ 귤: 21÷3＝7(개)
　　딸기: 27÷3＝9(개)
　❷ 9－7＝2(개)

답 2개

다르게 풀기
　❶ (딸기의 수)－(귤의 수)＝27－21
　　　　　　　　　　　　＝6(개)
　❷ 6÷3＝2(개)

답 2개

4 ❶ (도막 수)＝48÷8
　　　　　　＝6(도막)
　❷ 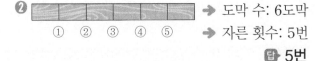 ➡ 도막 수: 6도막
　　　① ② ③ ④ ⑤　➡ 자른 횟수: 5번

답 5번

참고
　❶ 48 cm를 8 cm씩 자르면
　　48－8－8－8－8－8－8＝0
　　➡ 48÷8＝6(도막)이 된다.
　❷ (도막 수)－1＝(자른 횟수)

5 ❶ (정사각형 한 개를 만드는 데 사용한 철사의 길이)
　　＝28÷7＝4 (cm)
　❷ (만든 정사각형의 한 변의 길이)
　　＝4÷4＝1 (cm)

참고
　정사각형의 네 변의 길이는 모두 같다.
　➡ (정사각형의 한 변)＝(네 변의 길이의 합)÷4

답 1 cm

**6 ❶** (처음 있던 조개의 수)
　　＝9×3＝27(개)
**❷** (버리고 남은 조개의 수)
　　＝27－2＝25(개)
**❸** (한 명이 먹을 조개의 수)
　　＝25÷5＝5(개)

답 5개

**7 ❶** (쓰레기통 사이의 간격 수)
　　＝81÷9＝9(군데)
**❷** (놓을 쓰레기통의 수)＝9＋1
　　　　　　　　　　＝10(개)

답 10개

참고
**❶** 81－9－9－9－9－9－9－9－9－9＝0
　➡ 81÷9＝9
**❷** (놓을 쓰레기통의 수)
　＝(쓰레기통 사이의 간격 수)＋1

**8 ❶** 만든 두 자리 수: 24, 21, 42, 41, 12, 14
**❷** 6으로 나누어지는 수: 24, 42, 12

참고
6×4＝24 ↔ 24÷6＝4
6×7＝42 ↔ 42÷6＝7
6×2＝12 ↔ 12÷6＝2

답 24, 42, 12

**9 ❶** 어떤 수를 □라 하고 잘못 계산한 식 쓰기:
　　□÷2＝9
**❷** □÷2＝9
　　2×9＝□, □＝18
**❸** 바르게 계산한 몫: 18÷6＝3

답 3

**10 ❶**

| 철근을 자른 횟수(번) | 1 | 2 | 3 | 4 |
|---|---|---|---|---|
| 도막 수(도막) | 2 | 3 | 4 | 5 |

참고
(도막 수)＝(자른 횟수)＋1

**❷** 철근이 5도막이 될 때 자른 횟수: 4번
**❸** 한 번 자르는 데 걸린 시간: 20÷4＝5(분)

답 5분

---

# 4 곱셈

한 이야기　　78~79쪽

30×3＝90, 90
50＋90＝140, 140

**STEP 1** 문제 해결력 기르기　　80~85쪽

선행 문제 **❶**

(1) ×, 60
(2) ×, 88
(3) ×, 60

실행 문제 **❶**

**❶** 곱셈식에 ○표
**❷** ×, 39

답 39개

참고
■ 개씩 ▲ 상자이므로 곱셈식을 세운다. ➡ ■ × ▲

쌍둥이 문제 **1-1**

**❶** 선우가 줄넘기를 몇 번 했는지 구하려면 곱셈식을
세운다.
**❷** (선우가 한 줄넘기 횟수)＝23×2
　　　　　　　　　　　　　＝46(번)

답 46번

참고
(선우가 한 줄넘기 횟수)
　＝(유진이의 2배)
　＝(유진이가 한 줄넘기 횟수)×2

선행 문제 **❷**

(1) 40, ㉡
(2) 120, ㉠

실행 문제 **❷**

**❶** ×, 80
**❷** 80, >, 사탕에 ○표

답 사탕

참고
사탕의 수를 구한 다음 초콜릿의 수와 비교한다.

### 쌍둥이 문제 2-1

❶ (빨간색 공의 수)=32×4
　　　　　　　　=128(개)
❷ 128개<130개이므로 파란색 공이 더 많다.

답 **파란색 공**

### 선행 문제 3

10, 30

### 실행 문제 3

❶ 1, 9, 19

참고　꽃병 1개에 꽂혀 있는 꽃은 몇 송이인지 먼저 구한다.

❷ 19, 76

답 **76송이**

### 쌍둥이 문제 3-1

❶ 먼저 구해야 할 것
➡ (미주네 반 전체 학생 수)=15+18
　　　　　　　　　　　　=33(명)
❷ (필요한 공책 수)=33×5
　　　　　　　　　=165(권)

답 **165권**

### 선행 문제 4

(1) 4, 16, 4, 12
(2) 2, 14, 2, 16

### 실행 문제 4

❶ 5, 17
❷ 5, 12
❸ 12, 60

답 **60**

### 쌍둥이 문제 4-1

❶ 어떤 수를 □라 하여 뺄셈식 세우기:
　□-9=30
❷ □=30+9
　　=39

참고　■-▲=● ➡ ■=●+▲

❸ 어떤 수와 4의 곱: 39×4=156

답 **156**

### 선행 문제 5

(1) 5, 5
(2) 4, 4, 9, 9

### 실행 문제 5

❶ 2, 2, 7, 14, 7

참고
• 2×□에서 일의 자리가 4가 되는 곱 찾기
　2단 곱셈구구를 생각해 본다.
　2×1=2, 2×2=4, 2×3=6,
　2×4=8, 2×5=10, 2×6=12,
　2×7=14, 2×8=16, 2×9=18
　여러 가지가 나올 수 있으므로 주의하여 확인한다.

❷ 2, 7

답 **7**

### 쌍둥이 문제 5-1

❶ 전략 6×□의 일의 자리가 8이 되는 경우를 찾아보자.
　곱의 일의 자리 수를 보고 □ 예상하기:
　6×3=18이므로 □=3,
　6×8=48이므로 □=8

참고
• 6×□에서 일의 자리가 8이 되는 곱 찾기
　6단 곱셈구구를 생각해 본다.
　6×1=6, 6×2=12, 6×3=18,
　6×4=24, 6×5=30, 6×6=36,
　6×7=42, 6×8=48, 6×9=54

❷ 위 ❶에서 찾은 수를 □ 안에 넣어 곱해 보기:

$$\begin{array}{r} 2\,6 \\ \times\ \ \ 3 \\ \hline 7\,8\,(×) \end{array} \qquad \begin{array}{r} 2\,6 \\ \times\ \ \ 8 \\ \hline 2\,0\,8\,(○) \end{array}$$

답 **8**

### 실행 문제 6

❶ 8, 6, 5
❷ 6, 5, 8, 520

답 **520**

### 쌍둥이 문제 6-1

❶ 수 카드의 수의 크기 비교하기: 2<4<7
❷ 곱이 가장 작은 곱셈식: 47×2=94

참고

4 7 × 2
　　➔ ① 가장 작은 수
➔ ② 나머지 수로 만든 가장 작은 두 자리 수

답 **94**

## 2 STEP 수학 사고력 키우기 — 86~91쪽

### 대표 문제 1

주 • 4
• 5

해 ❶ (처음에 있던 떡의 수)
＝(한 줄에 있던 떡의 수)×(줄 수)
＝15×4＝60(개)

답 60개

참고  한 줄에 ▦ 개씩 ▲줄 ➡ ▦ × ▲

❷ (남은 떡의 수)
＝(처음에 있던 떡의 수)−(먹은 떡의 수)
＝60−5＝55(개)

답 55개

### 쌍둥이 문제 1-1

구 전체 풍선의 수

주 • 처음에 있던 풍선: 한 묶음에 35개씩 3묶음
• 더 사 온 풍선: 14개

❶ 전략 (한 묶음의 풍선의 수)×(묶음 수)
(처음에 있던 풍선의 수)＝35×3
＝105(개)

❷ 전략 (처음에 있던 풍선의 수)＋(더 사 온 풍선의 수)
(전체 풍선의 수)＝105＋14
＝119(개)

답 119개

### 대표 문제 2

주 • 6
• 5

해 ❶ (사과의 수)
＝(한 상자에 들어 있는 사과의 수)×(상자 수)
＝16×6＝96(개)

답 96개

❷ (귤의 수)
＝(한 상자에 들어 있는 귤의 수)×(상자 수)
＝20×5＝100(개)

답 100개

❸ 96개＜100개이므로 더 많은 것은 귤이다.

답 귤

### 쌍둥이 문제 2-1

구 학생 수가 더 적은 학년

주 • 3학년: 한 반에 24명씩 5개 반
• 4학년: 한 반에 27명씩 4개 반

❶ 전략 (한 반의 학생 수)×(반의 수)
(3학년 학생 수)＝24×5
＝120(명)

❷ 전략 (한 반의 학생 수)×(반의 수)
(4학년 학생 수)＝27×4
＝108(명)

❸ 120명＞108명이므로 학생 수가 더 적은 학년은 4학년이다.

답 4학년

### 대표 문제 3

주 • 30
• 7

해 ❶ (한 상자에 들어 있는 초코우유의 수)
＝(한 상자에 들어 있는 딸기우유의 수)−7
＝30−7＝23(개)

답 23개

참고  한 상자에 들어 있는 초코우유는 몇 개인지 먼저 구한다.

❷ (8상자에 들어 있는 초코우유의 수)
＝(한 상자에 들어 있는 초코우유의 수)
×(상자 수)
＝23×8＝184(개)

답 184개

### 쌍둥이 문제 3-1

구 7상자에 들어 있는 크림빵의 수

주 • 한 상자에 들어 있는 빵의 수: 40개
• 한 상자에 들어 있는 단팥빵의 수: 11개

❶ 전략 (한 상자에 들어 있는 빵의 수)
−(한 상자에 들어 있는 단팥빵의 수)
(한 상자에 들어 있는 크림빵의 수)
＝40−11＝29(개)

❷ 전략 (한 상자에 들어 있는 크림빵의 수)×(상자 수)
(7상자에 들어 있는 크림빵의 수)
＝29×7＝203(개)

답 203개

**대표 문제 4**

해 ❶ 5와 어떤 수를 곱했더니 40이 되었다.

→ $5 \times \square = 40$

식 $5 \times \square = 40$

❷ $5 \times \square = 40$ → $\square = 40 \div 5 = 8$

답 8

❸ $15 \times 8 = 120$

답 120

**쌍둥이 문제 4-1**

구 바르게 계산한 값

어 ❶ 어떤 수를 □라 하여 잘못 계산한 식을 세우고

❷ 곱셈과 나눗셈의 관계를 이용하여 ❶의 식에서 □의 값을 구한 다음

❸ 바르게 계산한 값을 구하자.

❶ 어떤 수를 □라 하여 잘못 계산한 식 세우기:

$3 \times \square = 27$

참고

3과 어떤 수를 곱했더니 27이 되었습니다.

3       ×□       =27

→ $3 \times \square = 27$

❷ 전략 곱셈과 나눗셈의 관계를 이용하자.

□의 값 구하기: $\square = 27 \div 3 = 9$

❸ 전략 $33 \times \square$를 구하자.

바르게 계산한 값: $33 \times 9 = 297$

답 297

**대표 문제 5**

해 ❶ 일의 자리의 계산 $3 \times \bigcirc$에서 일의 자리가 5가 되는 경우를 찾는다.

$3 \times 5 = 15$이므로 ⓒ은 5이다.

답 5

❷ 일의 자리의 계산 $3 \times 5 = 15$에서 1을 십의 자리의 계산에 더한 것이므로 ㉠×ⓒ은 올림한 1을 뺀 값이다.

→ $11 - 1 = 10$

답 10

❸ $\bigcirc \times 5 = 10$ → $2 \times 5 = 10$이므로 ㉠에 알맞은 수는 2이다.

답 2

**쌍둥이 문제 5-1**

구 ㉠에 알맞은 수

어 ❶ 곱의 일의 자리 수를 보고 ⓒ을 구하고,

❷ 올림한 수를 생각하여 ㉠×ⓒ이 될 수 있는 수를 찾아 ㉠에 알맞은 수를 구하자.

❶ 전략 일의 자리의 계산 $7 \times \bigcirc$에서 일의 자리가 9인 경우를 찾아보자.

ⓒ에 알맞은 수: 일의 자리의 계산에서 $7 \times 7 = 49$이므로 $\bigcirc = 7$

❷ 전략 일의 자리의 계산에서 올림한 수를 빼 보자.

㉠×ⓒ의 값: $25 - 4 = 21$

참고

일의 자리의 계산 $7 \times 7 = 49$에서 4를 십의 자리의 계산에 더한 것이므로 ㉠×ⓒ은 올림한 4를 뺀 값이다.

❸ 전략 ㉠×(❶에서 구한 값)=(❷에서 구한 값)

$\bigcirc \times 7 = 21$ → $3 \times 7 = 21$이므로 $\bigcirc = 3$

답 3

**대표 문제 6**

해 ❶ 수 카드의 수의 크기 비교하기: $9 > 7 > 4 > 2$

답 9, 7, 4, 2

❷ 곱이 가장 크려면 가장 큰 수는 ⓒ에 놓아야 한다.

답 ⓒ

❸ $\boxed{7}\,\boxed{4} \times \boxed{9} = 666$

└→① 가장 큰 수

└→② 나머지 수로 만든 가장 큰 두 자리 수

식 $74 \times 9$

답 666

**쌍둥이 문제 6-1**

구 곱이 가장 작은 (몇십몇)×(몇)

어 ❶ 수의 크기를 비교하고

❷ 가장 작은 수가 들어갈 자리를 찾아 곱셈식을 만들고 계산해 보자.

❶ 수 카드의 수의 크기 비교하기: $3 < 5 < 7 < 8$

❷ 전략 곱이 가장 작으려면 가장 작은 수를 어느 자리에 놓아야 하는지 생각해 보자.

㉠, ⓒ, ⓒ 중에서 가장 작은 수를 놓아야 하는 곳: ⓒ

❸ $57 \times 3 = 171$

참고

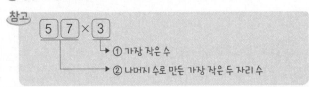

$\boxed{5}\,\boxed{7} \times \boxed{3}$

└→① 가장 작은 수

└→② 나머지 수로 만든 가장 작은 두 자리 수

답 171

**3** STEP 수학 독해력 완성하기 `92~95쪽`

독해 문제 1

주 •12
  •2
  •3

해 ❶ (민재가 가지고 있는 붙임딱지 수)
  =(윤우가 가지고 있는 붙임딱지 수)×2
  =12×2=24(장)

답 24장

❷ (은서가 가지고 있는 붙임딱지 수)
  =(민재가 가지고 있는 붙임딱지 수)×3
  =24×3=72(장)

답 72장

독해 문제 1-1 　정답에서 제공하는 **쌍둥이 문제**

예준이 아버지의 나이는 몇 살인가요?

 예준 ― 나는 8살입니다.

 형 ― 내 나이는 예준이 나이의 2배입니다.

 아버지 ― 내 나이는 예준이 형의 나이의 3배입니다.

구 예준이 아버지의 나이
주 •예준이의 나이: 8살
  •예준이 형의 나이: 예준이 나이의 2배
  •예준이 아버지의 나이: 예준이 형의 나이의 3배
어 ❶ 예준이 형의 나이를 구하고,
  ❷ 예준이 아버지의 나이를 구하자.

| 예준이의 나이 | 예준이 형의 나이 | 예준이 아버지의 나이 |
|---|---|---|

　　　　2배　　　　3배

해 ❶ 예준이 형의 나이: 8×2=16(살)
  ❷ 예준이 아버지의 나이: 16×3=48(살)

답 48살

독해 문제 2

주 •7, 63
  •13

해 ❶ (책꽂이 한 칸에 꽂은 위인전 수)
  ×(위인전을 꽂은 책꽂이 칸 수)
  =(전체 꽂은 위인전 수)
  ➡ 7×□=63

식 7×□=63

❷ □=63÷7
  =9(칸)

답 9칸

참고 곱셈과 나눗셈의 관계를 이용한다.

■×▲=● ◀ ●÷■=▲
　　　　　 ●÷▲=■

❸ (꽂을 수 있는 동화책 수)
  =(책꽂이 한 칸에 꽂는 동화책 수)
  ×(위인전을 꽂은 책꽂이 칸 수)
  =13×9=117(권)

답 117권

독해 문제 2-1 　정답에서 제공하는 **쌍둥이 문제**

한 상자에 곰 인형을 5개씩 담았더니 담은 곰 인형이 모두 30개였습니다./
곰 인형을 담은 상자마다 토끼 인형도 11개씩 담는다면/
담을 수 있는 토끼 인형은 모두 몇 개인가요?

구 담을 수 있는 토끼 인형 수
주 •곰 인형: 한 상자에 5개씩 모두 30개
  •토끼 인형: 한 상자에 11개씩
어 ❶ 한 상자에 담은 곰 인형 수와 전체 곰 인형 수를 이용해 곰 인형을 담은 상자 수를 구하고,
  ❷ 담을 수 있는 토끼 인형 수를 구하자.
해 ❶ 상자 수를 □라 하여 곱셈식 세우기:
  (한 상자에 담은 곰 인형 수)×□
  =(전체 곰 인형 수)
  ➡ 5×□=30
  ❷ □=30÷5=6
  ❸ (담을 수 있는 토끼 인형 수)=11×6=66(개)

답 66개

**독해 문제 | 3**

**해** ❶ $19 \times 6 = 114$

**답** 114

**참고** 오른쪽에 주어진 식을 먼저 계산한다.

❷ □ 안에 0부터 차례로 넣어 본다.
$41 \times 0 = 0 \Rightarrow 41 \times 0 < 19 \times 6 (\bigcirc)$
$41 \times 1 = 41 \Rightarrow 41 \times 1 < 19 \times 6 (\bigcirc)$
$41 \times 2 = 82 \Rightarrow 41 \times 2 < 19 \times 6 (\bigcirc)$
$41 \times 3 = 123 \Rightarrow 41 \times 3 > 19 \times 6 (\times)$

**답** 0, 1, 2

❸ □ 안에 들어갈 수 있는 수: 0, 1, 2 ➡ 3개

**답** 3개

**독해 문제 | 3-1** `정답에서 제공하는 쌍둥이 문제`

0부터 9까지의 수 중에서 □ 안에 들어갈 수 있는 수는 모두 몇 개인가요?

$$20 \times \square < 16 \times 5$$

**구** □ 안에 들어갈 수 있는 수의 개수

**주** • 왼쪽에 주어진 식: $20 \times \square$
　• 오른쪽에 주어진 식: $16 \times 5$

**어** ❶ $16 \times 5$를 계산하고
❷ 0부터 차례로 □ 안에 넣어 주어진 식을 만족하는 수를 모두 찾아보고
❸ □ 안에 들어갈 수 있는 수는 모두 몇 개인지 구하자.

**해** ❶ 오른쪽에 주어진 식: $16 \times 5 = 80$

❷ □ 안에 0부터 차례로 넣어 본다.
$20 \times 0 = 0 \Rightarrow 20 \times 0 < 16 \times 5 (\bigcirc)$,
$20 \times 1 = 20 \Rightarrow 20 \times 1 < 16 \times 5 (\bigcirc)$,
$20 \times 2 = 40 \Rightarrow 20 \times 2 < 16 \times 5 (\bigcirc)$,
$20 \times 3 = 60 \Rightarrow 20 \times 3 < 16 \times 5 (\bigcirc)$,
$20 \times 4 = 80 \Rightarrow 20 \times 4 = 16 \times 5 (\times)$

❸ □ 안에 들어갈 수 있는 수: 0, 1, 2, 3
➡ 4개

**답** 4개

**독해 문제 | 4**

**주** • 29　• 4　• 4

**해** ❶ $29 \times 4 = 116$ (cm)

**답** 116 cm

❷ (겹쳐진 부분의 수) = (색 테이프의 수) − 1
$= 4 - 1 = 3$(군데)

**답** 3군데

**참고** 색 테이프 ■장을 겹쳐서 한 줄로 길게 이어 붙였을 때 겹쳐진 부분의 수는 (■−1)군데이다.

❸ $4 \times 3 = 12$ (cm)

**답** 12 cm

❹ (이어 붙인 색 테이프 전체의 길이)
= (색 테이프 4장의 길이의 합)
　− (겹쳐진 부분의 길이의 합)
$= 116 - 12 = 104$ (cm)

**답** 104 cm

**독해 문제 | 4-1** `정답에서 제공하는 쌍둥이 문제`

길이가 43 cm인 색 테이프 6장을 한 줄로 이어 붙였습니다./
색 테이프를 5 cm씩 겹쳐서 이어 붙였다면/
이어 붙인 색 테이프 전체의 길이는 몇 cm인가요?

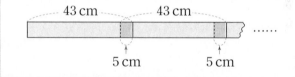

**구** 이어 붙인 색 테이프 전체의 길이

**주** • 색 테이프 한 장의 길이: 43 cm
　• 색 테이프의 수: 6장
　• 겹쳐진 부분의 길이: 5 cm

**어** ❶ 색 테이프 6장의 길이의 합과 겹쳐진 부분의 길이의 합을 구하여
❷ 위 ❶에서 구한 두 수의 차를 구하여 이어 붙인 색 테이프 전체의 길이를 구하자.

**해** ❶ 색 테이프 6장의 길이의 합:
$43 \times 6 = 258$ (cm)

❷ 겹쳐진 부분: $6 - 1 = 5$(군데)

❸ 겹쳐진 부분의 길이의 합: $5 \times 5 = 25$ (cm)

❹ 이어 붙인 색 테이프 전체의 길이:
$258 - 25 = 233$ (cm)

**답** 233 cm

## 4 STEP 창의·융합·코딩 체험하기 96~99쪽

**융합 1**

(육각형의 수)×7＝20×7
　　　　　　　　＝140(개)

답 **140개**

**창의 2**

호랑이는 13살이므로 호랑이 나이의 2배는
13×2＝26(살)이다.
나이가 26살인 동물은 코끼리이다.

답 **코끼리**

참고
호랑이 나이를 찾고, 호랑이 나이의 2배인 동물을 찾는다.

**창의 3**

호랑이는 13살, 펭귄은 6살이므로 거북의 나이는
13×6＝78(살)이다.

답 **78살**

**융합 4**

(우리나라 돈으로 러시아 돈 1루블의 금액)×3
＝14×3＝42(원)

답 **42**

참고
(우리나라 돈으로 러시아 돈 ■루블의 금액)
＝(우리나라 돈으로 러시아 돈 1루블의 금액)×■

**융합 5**

(우리나라 돈으로 대만 돈 1달러의 금액)×8
＝40×8＝320(원)

답 **320**

참고
(우리나라 돈으로 대만 돈 ▲달러의 금액)
＝(우리나라 돈으로 대만 돈 1달러의 금액)×▲

**창의 6**

(8뼘만큼의 길이)＝16×8
　　　　　　　　＝128 (cm)
(8뼘하고 7 cm만큼 더 되는 길이)＝128＋7
　　　　　　　　　　　　　　　　＝135 (cm)

답 **135 cm**

**코딩 7**

(1) 30×4＝120이고, 100보다 크므로 '○'가 인쇄된다.

답 **○**

(2) 36×2＝72이고, 100보다 작으므로 '×'가 인쇄된다.

답 **×**

**코딩 8**

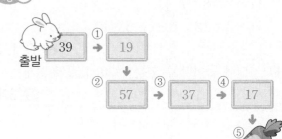

① 39－20＝19 　　② 19×3＝57
③ 57－20＝37 　　④ 37－20＝17
⑤ 17×3＝51

답 **51**

**코딩 9**

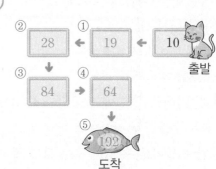

① 10＋9＝19 　　② 19＋9＝28
③ 28×3＝84 　　④ 84－20＝64
⑤ 64×3＝192

답 **192**

## 종합평가 실전 마무리 하기 100~103쪽

**1** ❶ 공책이 모두 몇 권인지 구하려면 곱셈식을 세운다.
❷ (공책 수)＝20×8
　　　　　　＝160(권)

답 **160권**

**2** ❶ $55>9>4$

➡ 가장 큰 수: 55, 가장 작은 수: 4

❷ $55\times4=220$

답 **220**

**3** ❶ (처음에 있던 빵의 수)$=11\times6$

$=66$(개)

❷ (남은 빵의 수)$=66-4$

$=62$(개)

답 **62개**

참고

❶ (처음에 있던 빵의 수)

$=$(한 상자에 있던 빵의 수)$\times$(상자 수)

❷ (남은 빵의 수)

$=$(처음에 있던 빵의 수)$-$(먹은 빵의 수)

**4** ❶ (윤서가 접은 종이학의 수)$=12\times5$

$=60$(개)

참고

윤서가 접은 종이학의 수를 먼저 구한다.

❷ 60개$>$50개이므로 종이학을 더 많이 접은 사람은 윤서이다.

답 **윤서**

**5** ❶ (상자 한 개에 넣은 공책의 수)$=24+39$

$=63$(권)

참고

상자 한 개에 넣은 공책의 수를 먼저 구한다.

❷ (상자 3개에 넣은 공책의 수)$=63\times3$

$=189$(권)

답 **189권**

**6** ❶ (3학년 학생 수)$=21\times4$

$=84$(명)

❷ (필요한 연필 수)$=84\times2$

$=168$(자루)

답 **168자루**

참고

❶ (3학년 학생 수)

$=$(한 반의 학생 수)$\times$(반의 수)

❷ (필요한 연필 수)

$=$(3학년 학생 수)$\times$(한 사람에게 줄 연필 수)

**7** ❶ 어떤 수를 $\square$라 하여 잘못 계산한 식 세우기:

$\square+6=40$

참고

어떤 수에 6을 더했더니 40이 되었습니다.

$\square$ $\quad\quad$ $+6$ $\quad\quad$ $=40$

➡ $\square+6=40$

❷ $\square$의 값 구하기: $\square=40-6=34$

❸ 바르게 계산한 값: $34\times6=204$

답 **204**

**8** ❶ (유찬이가 가지고 있는 구슬 수)$=21-8$

$=13$(개)

❷ (지우가 가지고 있는 구슬 수)$=13\times4$

$=52$(개)

❸ (유찬이와 지우가 가지고 있는 구슬 수의 합)

$=13+52=65$(개)

답 **65개**

주의

유찬이가 가지고 있는 구슬 수와 지우가 가지고 있는 구슬 수를 구한 후 합을 구해야 함에 주의한다.

**9** ❶ ㉡에 알맞은 수: 일의 자리의 계산에서

$6\times5=30$이므로 ㉡$=5$

❷ ㉠$\times$㉡의 값: 38 $\quad$ 3$=35$

❸ ㉠에 알맞은 수: ㉠$\times5=35$

➡ $7\times5=35$이므로 ㉠$=7$

답 **7**

참고

❶ 일의 자리의 계산: $6\times$㉡의 일의 자리가 0이 되는 곱을 찾는다.

(㉡이 0이 되면 결과가 0이 되므로 0은 제외한다.)

❷ 십의 자리의 계산: 일의 자리의 계산 $6\times5=30$에서 3을 십의 자리의 계산에 더한 것이므로 ㉠$\times$㉡은 올림한 3을 뺀 값이다. ➡ $38-3=35$

**10** ❶ 수 카드의 수의 크기 비교하기: $4<5<6<9$

❷ ㉠, ㉡, ㉢ 중에서 가장 작은 수를 놓아야 하는 곳: ㉢

❸ $56\times4=224$

답 **224**

참고

㉠㉡$\times$㉢에서 ㉢이 가장 작으면 결과도 가장 작다.

## 5 길이와 시간

**FUN**한 기억 노트     104~105쪽

1 mm를 알아보자.

1 cm를 [10] 칸으로 똑같이 나누었을 때 작은 눈금 한 칸의 길이

[읽기] 1 [밀리미터]

→ 1 cm = [10] mm

• 4 cm보다 5 mm 더 긴 것

[쓰기] [4] cm [5] mm

[읽기] 4 센티미터 5 밀리미터

4 cm 5 mm = [45] mm

1 km를 알아보자.

1000 m를 [1] km라 쓰고, 1 킬로미터라고 읽어.

• 2 km보다 400 m 더 긴 것

[쓰기] [2] km [400] m

[읽기] 2 킬로미터 400 미터

2 km 400 m = [2400] m

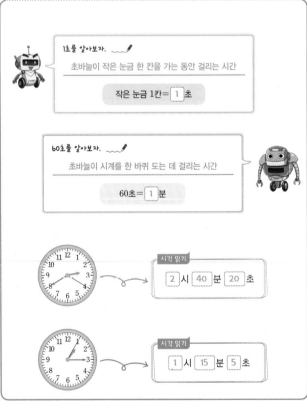

1초를 알아보자.

초바늘이 작은 눈금 한 칸을 가는 동안 걸리는 시간

작은 눈금 1칸 = [1] 초

60초를 알아보자.

초바늘이 시계를 한 바퀴 도는 데 걸리는 시간

60초 = [1] 분

[시각 읽기]

[2] 시 [40] 분 [20] 초

[시각 읽기]

[1] 시 [15] 분 [5] 초

---

**문제 해결력 기르기**     106~111쪽

### 선행 문제 1

(1) **90, 94**

(2) **50, 5**

### 실행 문제 1

❶ 105

❷ 105, >, 파란

답 **파란색**

### 쌍둥이 문제 1-1

❶ 연필의 길이: 15 cm 2 mm = 152 mm

❷ 152 mm > 139 mm이므로 더 긴 것은 연필이다.

답 **연필**

[참고] 1 cm = 10 mm임을 이용한다.

[다르게 풀기]

❶ [전략] 볼펜의 길이를 몇 cm 몇 mm로 나타내어 보자.

볼펜의 길이: 139 mm = 13 cm 9 mm

[참고]
139 mm = 130 mm + 9 mm
           = 13 cm + 9 mm
           = 13 cm 9 mm

❷ 15 cm 2 mm > 13 cm 9 mm이므로 더 긴 것은 연필이다.

답 **연필**

### 선행 문제 2

**9, 6 / 1, 2**

### 실행 문제 2

❶ 2, 3

❷ (위에서부터) 2, 3 / 5, 9

답 **5 cm 9 mm**

[참고]

• 몇 cm 몇 mm 단위 길이의 덧셈과 뺄셈
cm는 cm끼리, mm는 mm끼리 계산한다.

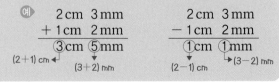

### 쌍둥이 문제 **2-1**

❶ ㉠ 막대의 길이:
$$65\,mm=6\,cm\,5\,mm$$

❷ 두 막대의 길이의 합:

$$
\begin{array}{r}
6\,cm\,5\,mm \\
+\ \ 3\,cm\,4\,mm \\
\hline
9\,cm\,9\,mm
\end{array}
$$

답 **9 cm 9 mm**

### 선행 문제 **3**

(1) **뺄셈**에 ○표, −

(2) **덧셈**에 ○표, +

### 실행 문제 **3**

❶ 60, 1

❷ (위에서부터) 1, 40 / 5, 31, 50

답 **5시 31분 50초**

참고
- 시각: 어느 한 시점
- 시간: 어떤 시각에서 어떤 시각까지의 사이
- (시각)+(시간)=(시각)   · (시각)−(시간)=(시각)

예
$$
\begin{array}{r}
2시\ \ 40분\ \leftarrow 시각 \\
+\ \ \ \ \ \ \ \ 10분\ \leftarrow 시간 \\
\hline
2시\ \ 50분\ \leftarrow 시각
\end{array}
$$

예
$$
\begin{array}{r}
2시\ \ 40분\ \leftarrow 시각 \\
-\ \ \ \ \ \ \ \ 10분\ \leftarrow 시간 \\
\hline
2시\ \ 30분\ \leftarrow 시각
\end{array}
$$

### 쌍둥이 문제 **3-1**

❶ 150초=120초+30초
　　 =2분 30초

참고
60초=1분이므로
150초=60초+60초+30초=1분+1분+30초
　　 =2분+30초=2분 30초

❷ 2시 10분 20초에서 150초 후의 시각:

$$
\begin{array}{r}
2시\ \ 10분\ \ 20초 \\
+\ \ \ \ \ \ \ \ \ 2분\ \ 30초 \\
\hline
2시\ \ 12분\ \ 50초
\end{array}
$$

답 **2시 12분 50초**

### 선행 문제 **4**

2, 20

### 실행 문제 **4**

❶ 4, 20, 10 / 5, 40, 20

❷ (위에서부터) 5, 40, 20 / 4, 20, 10 / 1, 20, 10

답 **1시간 20분 10초**

참고
· (시각)−(시각)=(시간)
예
$$
\begin{array}{r}
4시\ \ \ \ \ 30분\ \leftarrow 시각 \\
-\ \ 2시\ \ \ \ \ 10분\ \leftarrow 시각 \\
\hline
2시간\ \ 20분\ \leftarrow 시간
\end{array}
$$

### 쌍둥이 문제 **4-1**

❶ 시작한 시각: 6시 25분 5초
　 끝낸 시각: 7시 30분 15초

❷ 그림 그리기를 하는 데 걸린 시간:

$$
\begin{array}{r}
7시\ \ \ \ \ 30분\ \ 15초 \\
-\ \ 6시\ \ \ \ \ 25분\ \ \ 5초 \\
\hline
1시간\ \ \ 5분\ \ 10초
\end{array}
$$

답 **1시간 5분 10초**

### 선행 문제 **5**

(위에서부터) 50, 20, 10

### 실행 문제 **5**

❶ 40, 10

❷ 10, 10, 10, 10

답 **오전 10시 10분**

참고

| 1교시 수업 시작 | 오전 9시 20분 | |
| --- | --- | --- |
| 1교시 수업 끝 | 오전 10시 | +40분 |
| 2교시 수업 시작 | 오전 10시 10분 | +10분 |

### 다르게 풀기

❶ 10, 50

❷ 50, 10, 10

답 **오전 10시 10분**

참고

| 1교시 수업 시작 | 오전 9시 20분 | |
| --- | --- | --- |
| 1교시 수업 끝 | | 40분＋10분 |
| 2교시 수업 시작 | 오전 10시 10분 | ＝50분 |

**선행 문제 6**

12, 19 / 19, 13

**실행 문제 6**

❶ 18

> 참고
> 오후 6시 40분 30초=(12+6)시 40분 30초
> =18시 40분 30초

❷ (위에서부터) 18 / 12, 9, 8

답 **12시간 9분 8초**

**쌍둥이 문제 6-1**

❶ (해가 진 시각)=오후 7시 40분 30초
=19시 40분 30초

❷ 낮의 길이:

$$\begin{array}{r}
\overset{39}{19}\text{시}\ \overset{60}{40}\text{분}\ 30\text{초}\\
-\quad 5\text{시}\quad 25\text{분}\ 40\text{초}\\
\hline
14\text{시간}\ 14\text{분}\ 50\text{초}
\end{array}$$

답 **14시간 14분 50초**

> 참고
> 시간의 뺄셈에서 같은 단위끼리 뺄 수 없으면
> 1시간을 60분, 1분을 60초로 받아내림한다.
>
> 예
> $$\begin{array}{r}\overset{3}{4}\text{시간}\ \overset{60}{40}\text{분}\\-\ 2\text{시간}\ 50\text{분}\\\hline 1\text{시간}\ 50\text{분}\end{array}$$
> $$\begin{array}{r}\overset{9}{10}\text{분}\ \overset{60}{10}\text{초}\\-\ 5\text{분}\ 20\text{초}\\\hline 4\text{분}\ 50\text{초}\end{array}$$

## 수학 사고력 키우기  112~117쪽

**대표 문제 1**

주 •100  •2010

해 ❶ 2 km 100 m=2 km+100 m
=2000 m+100 m
=2100 m    답 **2100 m**

❷ 2100 m>2010 m이므로 은우네 집에서 더 가까운 곳은 공원이다.    답 **공원**

> 참고
> 단위가 다른 경우에는 단위를 같은 형태로 나타내어 비교한다.

**쌍둥이 문제 1-1**

구 학교에서 더 먼 곳

주 •학교에서 영진이네 집까지의 거리:
4 km 250 m
•학교에서 수민이네 집까지의 거리:
4900 m

❶ 전략 4 km 250 m를 몇 m로 나타내어 보자.
학교에서 영진이네 집까지의 거리:
4 km 250 m=4250 m

❷ 4250 m<4900 m이므로 학교에서 더 먼 곳은 수민이네 집이다.

답 **수민이네 집**

**다르게 풀기**

❶ 전략 4900 m를 몇 km 몇 m로 나타내어 보자.
학교에서 수민이네 집까지의 거리:
4900 m=4 km 900 m

> 참고
> 4900 m=4000 m+900 m
> =4 km+900 m
> =4 km 900 m

❷ 4 km 250 m<4 km 900 m이므로 학교에서 더 먼 곳은 수민이네 집이다.

답 **수민이네 집**

**대표 문제 2**

해 ❶ 6500 m=6000 m+500 m
=6 km+500 m
=6 km 500 m

답 **6 km 500 m**

❷ ㉠ 6 km 500 m>㉡ 4 km 30 m

답 **㉠ 길**

❸
$$\begin{array}{r}
6\text{ km}\ 500\text{ m}\\
-\ 4\text{ km}\ \ 30\text{ m}\\
\hline
2\text{ km}\ 470\text{ m}
\end{array}$$

답 **2 km 470 m**

> 참고
> ❶ 차를 구하려면 거리를 비교하여 더 먼 곳에서 가까운 곳을 빼야 한다.
> ❷ 몇 km 몇 m 단위 길이의 덧셈과 뺄셈
> km는 km끼리, m는 m끼리 계산한다.
>
> 예
> $$\begin{array}{r}2\text{ km}\ 400\text{ m}\\+\ 1\text{ km}\ 200\text{ m}\\\hline ③\text{km}\ ⑥00\text{ m}\end{array}$$
> (2+1) km ← →(400+200) m
> $$\begin{array}{r}2\text{ km}\ 400\text{ m}\\-\ 1\text{ km}\ 200\text{ m}\\\hline ①\text{km}\ ②00\text{ m}\end{array}$$
> (2-1) km ← →(400-200) m

**쌍둥이 문제 2-1**

구 병원에서 슈퍼마켓까지의 거리와 병원에서 우체국까지의 거리의 차

어 1 병원에서 슈퍼마켓까지의 거리를 몇 km 몇 m로 나타내고

2 거리를 비교하여 차를 구하자.

❶ 전략 3550 m를 몇 km 몇 m로 나타내어 보자.

병원에서 슈퍼마켓까지의 거리:

3550 m＝3 km 550 m

❷ 병원에서 더 먼 곳: 우체국

❸ 거리의 차:

$$\begin{array}{r} 4\ km\ 740\ m \\ -\ 3\ km\ 550\ m \\ \hline 1\ km\ 190\ m \end{array}$$

답 1 km 190 m

**대표 문제 3**

주 •20

•1, 15

해 ❶ 책을 읽기 시작한 시각은 책을 다 읽은 시각보다 앞의 시각이다.

답 전에 ○표

❷
$$\begin{array}{r} 5시\quad 20분 \\ -\ 1시간\ 15분 \\ \hline 4시\quad\ \ 5분 \end{array}$$

답 4시 5분

**쌍둥이 문제 3-1**

❶ 집에 도착한 시각에서 20분 30초 전의 시각을 구한다.

❷ 전략 (집에 도착한 시각)−(걸린 시간)

학교에서 출발한 시각:

$$\begin{array}{r} 1시\ 50분\ 40초 \\ -\quad\ \ 20분\ 30초 \\ \hline 1시\ 30분\ 10초 \end{array}$$

답 1시 30분 10초

**대표 문제 4**

해 ❶
$$\begin{array}{r} 5시\ 55분 \\ -\ 5시\ 10분 \\ \hline 45분 \end{array}$$

답 45분

❷
$$\begin{array}{r} 3시\ 40분 \\ -\ 3시\ \ 5분 \\ \hline 35분 \end{array}$$

답 35분

❸ 45분＞35분이므로 운동을 더 오래 한 사람은 아린이다.

답 아린

**쌍둥이 문제 4-1**

구 공부를 더 오래 한 사람

어 1 은서와 유찬이가 공부를 한 시간을 각각 구한 다음

2 시간을 비교하여 공부를 더 오래 한 사람을 찾아보자.

❶ 은서가 공부를 한 시간:

$$\begin{array}{r} 4시\quad 55분 \\ -\ 3시\quad 45분 \\ \hline 1시간\ 10분 \end{array}$$

❷ 유찬이가 공부를 한 시간:

$$\begin{array}{r} 3시\quad 50분 \\ -\ 2시\quad\ \ 5분 \\ \hline 1시간\ 45분 \end{array}$$

❸ 1시간 10분＜1시간 45분이므로 공부를 더 오래 한 사람은 유찬이다.

답 유찬

**대표 문제 5**

해 ❶
$$\begin{array}{r} \overset{1}{\phantom{0}} \\ 오후\ 4시\ 30분\ 10초 \\ +\qquad\quad 45분\ 15초 \\ \hline 오후\ 5시\ 15분\ 25초 \end{array}$$

답 오후 5시 15분 25초

❷
$$\begin{array}{r} 오후\ 5시\ 15분\ 25초 \\ +\qquad\quad 15분 \\ \hline 오후\ 5시\ 30분\ 25초 \end{array}$$

답 오후 5시 30분 25초

❸
$$\begin{array}{r} \overset{1}{\phantom{0}} \\ 오후\ 5시\ 30분\ 25초 \\ +\qquad\quad 52분\ 30초 \\ \hline 오후\ 6시\ 22분\ 55초 \end{array}$$

답 오후 6시 22분 55초

### 쌍둥이 문제 5-1

❶ 1부 체험이 끝난 시각:

```
  오후 1시 10분 30초
+        40분 10초
─────────────────
  오후 1시 50분 40초
```

❷ 2부 체험이 시작한 시각:

```
         1
  오후 1시 50분 40초
+         10분
─────────────────
  오후 2시     40초
```

❸ 2부 체험이 끝난 시각:

```
          1
  오후 2시     40초
+        35분 40초
─────────────────
  오후 2시 36분 20초
```

답 오후 2시 36분 20초

### 대표 문제 6

해 ❶ 오후 7시 20분 50초=(12＋7)시 20분 50초
　　　　　　　　　　　=19시 20분 50초

답 19시 20분 50초

❷
```
  19시 20분 50초
－ 5시 12분 30초
─────────────────
  14시간 8분 20초
```

답 14시간 8분 20초

❸
```
         59
   23    60    60
   24시간
－ 14시간  8분 20초
─────────────────
   9시간 51분 40초
```

답 9시간 51분 40초

참고
❷ (낮의 길이)=(해가 진 시각)−(해가 뜬 시각)
❸ (밤의 길이)=24시간−(낮의 길이)

### 쌍둥이 문제 6-1

❶ 해가 진 시각:
　오후 5시 50분 50초=17시 50분 50초

❷ 낮의 길이:
```
  17시 50분 50초
－ 7시 15분 40초
─────────────────
  10시간 35분 10초
```

❸ 밤의 길이:
```
              59
   23    60    60
   24시간
－ 10시간 35분 10초
─────────────────
   13시간 24분 50초
```

답 13시간 24분 50초

## 3 STEP 수학 독해력 완성하기 118~121쪽

독해 문제 1

주 •20　•52

해 ❶
```
  10시 52분
－ 10시 20분
───────────
     32분
```

답 32분

❷ 체험 시간이 32분인 것은 꽃 그리기이다.

답 꽃 그리기

독해 문제 1-1　　　정답에서 제공하는 쌍둥이 문제

로봇 축제에서 체험 시간을 나타낸 것입니다./
현수가 참가한 체험은 2시 50분에 시작하여
3시 22분에 끝났습니다./
현수가 참가한 체험은 무엇인가요?

| 로봇 그림 그리기 | 28분 |
| 로봇 축구 하기 | 32분 |
| 4D 영화 보기 | 42분 |

주 •체험이 시작한 시각: 2시 50분
•체험이 끝난 시각: 3시 22분
•각각 체험을 하는 데 걸리는 시간

어 ❶ 체험을 하는 데 걸린 시간을 구하여
❷ 현수가 참가한 체험을 찾아보자.

해 ❶ 현수가 체험을 하는 데 걸린 시간:
```
   2    60
  3시 22분
－ 2시 50분
───────────
     32분
```

❷ 현수가 참가한 체험은 로봇 축구 하기이다.

답 로봇 축구 하기

**독해 문제 2**

구 ㉡

주 • 400   • 4200   • 300

해 ❶ 4200 m＝4000 m＋200 m
　　　　　　＝4 km＋200 m
　　　　　　＝4 km 200 m

답 **4 km 200 m**

❷ (㉠~㉣)＝(㉠~㉢)＋(㉢~㉣)
　　　　＝10 km 400 m＋4 km 200 m
　　　　＝14 km 600 m

답 **14 km 600 m**

❸ 14 km 600 m－9 km 300 m＝5 km 300 m

답 **5 km 300 m**

---

**독해 문제 2-1**　　　　정답에서 제공하는 **쌍둥이 문제**

㉢에서 ㉣까지의 거리는 몇 km 몇 m인가요?

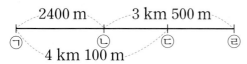

어 ❶ ㉠에서 ㉡까지의 거리를 몇 km 몇 m로 나타내고

❷ ㉠에서 ㉣까지의 거리를 구한 다음 ㉠에서 ㉢까지의 거리를 빼서 ㉢에서 ㉣까지의 거리를 구하자.

해 ❶ ㉠에서 ㉡까지의 거리:
　　2400 m＝2000 m＋400 m
　　　　　＝2 km＋400 m
　　　　　＝2 km 400 m

❷ 전략 (㉠~㉣)＝(㉠~㉡)＋(㉡~㉣)
　㉠에서 ㉣까지의 거리:

　　　2 km　400 m
　＋ 3 km　500 m
　──────────────
　　　5 km　900 m

❸ 전략 (㉢~㉣)＝(㉠~㉣)－(㉠~㉢)
　㉢에서 ㉣까지의 거리:

　　　5 km　900 m
　－ 4 km　100 m
　──────────────
　　　1 km　800 m

답 **1 km 800 m**

---

**독해 문제 3**

주 • 11, 50   • 25   • 11, 15, 45

해 ❶
　　　　오전 11시　50분
　－　　　　　　 25분
　─────────────────
　　　　오전 11시　25분

답 **오전 11시 25분**

❷
　　　　　　　　　24　　60
　　　　오전 11시　25분
　－ 오전 11시　15분　45초
　─────────────────────
　　　　　　　　9분　15초

답 **9분 15초 후**

---

**독해 문제 3-1**　　　　정답에서 제공하는 **쌍둥이 문제**

상현이는 친구와 도서관에서 오후 6시에 만나기로 했고,/
상현이네 집에서 도서관까지 가는 데는 21분이 걸립니다./
현재 시각이 오후 5시 10분 10초일 때/
상현이가 친구와 만나기로 한 시각에 정확히 도착하려면/
현재 시각부터 몇 분 몇 초 후 집에서 출발해야 하나요?

주 • 상현이가 친구와 도서관에서 만나기로 한 시각:
　　오후 6시
　• 상현이네 집에서 도서관까지 가는 데 걸리는
　　시간: 21분
　• 현재 시각: 오후 5시 10분 10초

해 ❶ 상현이가 집에서 출발해야 할 시각:
　　　　　　　5　　60
　　　　오후 6시
　－　　　　　　21분
　─────────────────
　　　오후 5시　39분

❷ 만나기로 한 시각에 정확히 도착하려면 현재 시각부터 몇 분 몇 초 후에 출발해야 하는지 구해 보면
　　　　　　　38　　60
　　　오후 5시　39분
　－ 오후 5시　10분　10초
　───────────────────
　　　　　28분　50초

답 **28분 50초 후**

**독해 문제 | 4**

주 •10    •10    •7

해 ❶ 10초씩 7일 동안 느려지므로
　　 10×7=70(초)이다.

　　　　　　　　　　　　　답 **70초**

❷ 60초=1분이므로
　70초=60초+10초=1분+10초=1분 10초
　이다.

　　　　　　　　　　　　　답 **1분 10초**

❸
```
                 59
        9     60      60
    오전 10시
  −           1분  10초
    오전  9시  58분  50초
```

　　　　　　　　　　답 **오전 9시 58분 50초**

---

**독해 문제 | 4-1**　　　　정답에서 제공하는 **쌍둥이 문제**

하루에 7초씩 느려지는 시계가 있습니다./
어느 날 이 시계를 오후 2시에 정확하게 맞추어 놓
았다면/
9일 후 오후 2시에 이 시계가 가리키는 시각은 오
후 몇 시 몇 분 몇 초인가요?

구 9일 후 오후 2시에 고장 난 시계가 가리키는 시각

주 •하루에 느려지는 시간: 7초
　•정확하게 맞추어 놓은 시각: 오후 2시
　•다시 시각을 확인하는 날: 9일 후

어 ❶ 9일 동안 느려지는 전체 시간을 구하고
　 ❷ 시각을 다시 확인할 때 시계가 가리키는 시
　　각을 구하자.

해 ❶ 이 시계가 9일 동안 느려지는 시간:
　　 7×9=63(초)

❷ 63초=60초+3초=1분+3초=1분 3초

❸ 9일 후 오후 2시에 이 시계가 가리키는 시각:
```
                 59
          1     60      60
    오후 2시
  −           1분   3초
    오후 1시  58분  57초
```

　　　　　　　　答 **오후 1시 58분 57초**

---

# 4 STEP 창의·융합·코딩 체험하기　　122~125쪽

**융합 ❶**

제기차기: 10분 30초, 연날리기: 15분 10초
```
      10분  30초
  +   15분  10초
      25분  40초
```

　　　　　　　　　　　답 **25분 40초**

**융합 ❷**

(1) 기린의 키는 m가 알맞다.

　　　　　　　　　　　答 **m에 ○표**

(2) 서울에서 부산까지의 거리는 km가 알맞다.

　　　　　　　　　　　答 **km에 ○표**

**창의 ❸**

①에서 걸리는 시간: 5분 30초
②에서 걸리는 시간: 10분
```
       5분  30초
  +   10분
      15분  30초
```

　　　　　　　　　　　답 **15분 30초**

**창의 ❹**

③에서 걸리는 시간: 15분 30초
```
            1
      15분  30초
  +   11분  30초
      27분
```

　　　　　　　　　　　답 **27분**

주의 받아올림에 주의하여 계산한다.

**코딩 ❺**

(1) 100 cm보다 길지 않고, 30 cm보다 길다.
　➡ 초록색 스티커가 나온다.

　　　　　　　　　　　답 **초록색**

(2) 1 m 10 cm = 110 cm

110 cm는 100 cm보다 길다.

➡ 빨간색 스티커가 나온다.

답 빨간색

창의 6

집에서 도서관까지의 거리: 1 km 200 m

$$
\begin{array}{r}
1\ \text{km}\ 200\ \text{m} \\
+\ 1\ \text{km}\ 200\ \text{m} \\
\hline
2\ \text{km}\ 400\ \text{m}
\end{array}
$$

답 2 km 400 m

참고 집에서 도서관까지 갔다가 집으로 다시 오는 것이므로 두 번 더한다.

창의 7

집에서 학원까지의 거리: 1400 m

1400 m = 1 km 400 m

$$
\begin{array}{r}
1\ \text{km}\ 400\ \text{m} \\
+\ 1\ \text{km}\ 400\ \text{m} \\
\hline
2\ \text{km}\ 800\ \text{m}
\end{array}
$$

답 2 km 800 m

참고 답을 몇 km 몇 m로 구해야 하므로 1400 m를 1 km 400 m로 나타내어 구한다.

종합평가 실전 마무리 하기 126~129쪽

**1** 4 cm 3 mm = 40 mm + 3 mm

= 43 mm

답 43 mm

**2** ❶ 2분 10초 = 120초 + 10초 = 130초

❷ 130초 < 160초이므로 더 오래 매달린 사람은 희민이다.

답 희민

다르게 풀기

❶ 160초 = 120초 + 40초 = 2분 + 40초 = 2분 40초

❷ 2분 10초 < 2분 40초이므로 더 오래 매달린 사람은 희민이다.

답 희민

**3** ❶ 1100 m = 1 km 100 m

❷ 자전거를 타고 달린 거리:

$$
\begin{array}{r}
1\ \text{km}\ 100\ \text{m} \\
+\ 1\ \text{km}\ 100\ \text{m} \\
\hline
2\ \text{km}\ 200\ \text{m}
\end{array}
$$

답 2 km 200 m

**4** ❶ 지금 시각: 4시 15분

❷ 4시 15분에서 1시간 20분 후의 시각:

$$
\begin{array}{r}
4\text{시}\quad 15\text{분} \\
+\ 1\text{시간}\ 20\text{분} \\
\hline
5\text{시}\quad 35\text{분}
\end{array}
$$

답 5시 35분

**5** ❶ 청소를 끝낸 시각에서 1시간 25분 전의 시각을 구한다.

❷ 청소를 시작한 시각:

$$
\begin{array}{r}
3\text{시}\quad 40\text{분}\ 20\text{초} \\
-\ 1\text{시간}\ 25\text{분} \\
\hline
2\text{시}\quad 15\text{분}\ 20\text{초}
\end{array}
$$

답 2시 15분 20초

**6** ❶ 사용한 색 테이프의 길이:

204 mm = 20 cm 4 mm

❷ 남은 색 테이프의 길이:

$$
\begin{array}{r}
45\ \text{cm}\ 7\ \text{mm} \\
-\ 20\ \text{cm}\ 4\ \text{mm} \\
\hline
25\ \text{cm}\ 3\ \text{mm}
\end{array}
$$

답 25 cm 3 mm

**7** ❶ (㉠~㉡) = 2200 m = 2 km 200 m

❷ (㉡~㉢) = (㉠~㉢) − (㉠~㉡)

= 7 km 440 m − 2 km 200 m

= 5 km 240 m

답 5 km 240 m

**8** ❶ 1부 수업이 끝나는 시각:

$$
\begin{array}{r}
1 \\
3\text{시} \quad 20\text{분} \\
+ \qquad 50\text{분} \\
\hline
4\text{시} \quad 10\text{분}
\end{array}
$$

❷ 2부 수업이 시작하는 시각:

$$
\begin{array}{r}
4\text{시} \quad 10\text{분} \\
+ \qquad 20\text{분} \\
\hline
4\text{시} \quad 30\text{분}
\end{array}
$$

❸ 2부 수업이 끝나는 시각:

$$
\begin{array}{r}
1 \\
4\text{시} \quad 30\text{분} \\
+ \qquad 50\text{분} \\
\hline
5\text{시} \quad 20\text{분}
\end{array}
$$

답 **5시 20분**

**9** ❶ 은지가 독서를 한 시간:

$$
\begin{array}{r}
6\text{시} \quad 50\text{분} \quad 55\text{초} \\
- \quad 5\text{시} \quad 40\text{분} \quad 30\text{초} \\
\hline
1\text{시간} \quad 10\text{분} \quad 25\text{초}
\end{array}
$$

❷ 원용이가 독서를 한 시간:

$$
\begin{array}{r}
4\text{시} \quad 20\text{분} \quad 40\text{초} \\
- \quad 3\text{시} \quad 5\text{분} \quad 10\text{초} \\
\hline
1\text{시간} \quad 15\text{분} \quad 30\text{초}
\end{array}
$$

❸ 1시간 10분 25초<1시간 15분 30초이므로 독서를 더 오래 한 사람은 원용이다.

답 **원용**

**10** ❶ 해가 진 시각:

오후 7시 22분 20초=19시 22분 20초

❷ 낮의 길이:

$$
\begin{array}{r}
18 \qquad 60 \\
19\text{시} \quad 22\text{분} \quad 20\text{초} \\
- \quad 5\text{시} \quad 40\text{분} \quad 10\text{초} \\
\hline
13\text{시간} \quad 42\text{분} \quad 10\text{초}
\end{array}
$$

❸ 밤의 길이:

$$
\begin{array}{r}
59 \\
23 \quad \;60 \qquad 60 \\
24\text{시간} \\
- \quad 13\text{시간} \quad 42\text{분} \quad 10\text{초} \\
\hline
10\text{시간} \quad 17\text{분} \quad 50\text{초}
\end{array}
$$

답 **10시간 17분 50초**

---

**6** 분수와 소수

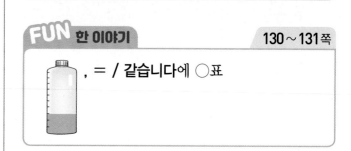

FUN 한 이야기     130~131쪽

, = / 같습니다에 ○표

1 STEP 문제 해결력 기르기    132~135쪽

**선행 문제 ❶**

$5, 2, \dfrac{2}{5}$

**실행 문제 ❶**

❶ 9

❷ 7, 2

❸ $\dfrac{2}{9}$

답 $\dfrac{2}{9}$

**쌍둥이 문제 1-1**

❶ 전체를 똑같이 나눈 조각 수: 8조각

❷ 전략 (남은 조각 수)=(전체 조각 수)−(먹은 조각 수)

남은 조각 수: 8−3=5(조각)

❸ 전략 분수로 나타내기: $\dfrac{(\text{남은 조각 수})}{(\text{전체를 똑같이 나눈 조각 수})}$

남은 피자를 분수로 나타내기: $\dfrac{5}{8}$

답 $\dfrac{5}{8}$

**선행 문제 ❷**

2, 3, 2, 3

**실행 문제 ❷**

❶ 큰에 ○표

❷ 7, 6, 5

❸ 7

답 $\dfrac{7}{9}$

## 참고

• 분모가 같은 분수의 크기 비교
분자가 클수록 크다.

예 $\dfrac{2}{5}$ $<$ $\dfrac{3}{5}$

## 쌍둥이 문제 2-1

❶ 분모가 7인 분수 중 가장 작은 분수를 만들려면 분자에 가장 작은 수를 놓아야 한다.

❷ 수 카드의 수의 크기 비교하기: $3 < 4 < 6$

❸ 전략 분자가 작을수록 작은 분수이다.

분모가 7인 가장 작은 분수 만들기: $\dfrac{3}{7}$

답 $\dfrac{3}{7}$

## 선행 문제 3

9, 7, 8

## 실행 문제 3

❶ 작을수록에 ○표

❷ 6, 5(또는 5, 6)

답 $\dfrac{1}{6}$, $\dfrac{1}{5}$

## 참고

• 단위분수의 크기 비교
분모가 작을수록 크다.

예 $\dfrac{1}{4}$ $<$ $\dfrac{1}{2}$

## 쌍둥이 문제 3-1

❶ 단위분수는 분모가 작을수록 크다.

❷ 전략 분모가 2보다 크고 6보다 작은 단위분수를 구하자.

$\dfrac{1}{6}$보다 크고 $\dfrac{1}{2}$보다 작은 단위분수: $\dfrac{1}{5}$, $\dfrac{1}{4}$, $\dfrac{1}{3}$

답 $\dfrac{1}{5}$, $\dfrac{1}{4}$, $\dfrac{1}{3}$

## 선행 문제 4

❶ 같다에 ○표  ❷ 7, 8, 9

## 실행 문제 4

❶ 같다에 ○표

❷ 5, 8

❸ 6, 7

답 6, 7

## 참고

• 소수의 크기 비교
소수의 크기를 비교할 때는 먼저 자연수 부분의 크기를 비교한다.
― 자연수 부분의 수가 다를 경우
자연수 부분의 수가 클수록 더 크다.

예 4.3 $>$ 2.5
└ 4 > 2 ┘

― 자연수 부분의 수가 같은 경우
소수 부분의 수가 클수록 더 크다.

예 1.6 $<$ 1.9
└ 6 < 9 ┘

## 쌍둥이 문제 4-1

❶ 자연수 부분의 크기가 같다.

❷ 소수 부분의 크기 비교하기: $1 < \square < 5$

❸ □ 안에 알맞은 수: 2, 3, 4

답 2, 3, 4

## 2 STEP 수학 사고력 키우기  136~139쪽

## 대표 문제 ①

주 • 3
  • 2

해 ❶ 진현이와 준영이가 먹은 조각은
$3 + 2 = 5$(조각)이므로 남은 조각은
$8 - 5 = 3$(조각)이다.

답 3조각

❷ 전체를 똑같이 8로 나눈 것 중의 3이므로 $\dfrac{3}{8}$이다.

답 $\dfrac{3}{8}$

**쌍둥이 문제 1-1**

구 두 사람이 먹고 남은 식빵은 전체의 몇 분의 몇

주 · 전체 식빵 조각 수: 10조각
· 미선이가 먹은 식빵 조각 수: 4조각
· 현중이가 먹은 식빵 조각 수: 5조각

❶ 미선이와 현중이가 먹고 남은 식빵: 1조각

❷ 두 사람이 먹고 남은 식빵을 분수로 나타내기: $\frac{1}{10}$

답 $\frac{1}{10}$

참고
❶ 미선이와 현중이가 먹은 조각은 4+5=9(조각)이므로 남은 조각은 10−9=1(조각)이다.
❷ $\frac{(남은\ 조각\ 수)}{(전체\ 조각\ 수)} = \frac{1}{10}$

**대표 문제 2**

해 ❶ 분자가 1인 분수는 분모가 작을수록 크다.
답 **작을수록**에 ○표
❷ 수 카드의 수의 크기 비교하기: 5<6<7
답 5, 6, 7
❸ 분자가 1인 분수는 분모가 작을수록 큰 분수이므로 수 카드의 수 중 가장 작은 수를 분모로 한다. → $\frac{1}{5}$
답 $\frac{1}{5}$

**쌍둥이 문제 2-1**

구 분자가 1인 분수 중 가장 작은 분수

어 ① 분자가 1인 분수의 크기가 작으려면 분모가 작아야 하는지 커야 하는지 알아본 후
② 수 카드의 수의 크기를 비교해 보고 가장 작은 분수를 만들어 보자.

❶ 분자가 1인 분수는 분모가 클수록 작다.
❷ 수 카드의 수의 크기 비교하기: 7>3>2
❸ 분모가 1인 분수 중 가장 작은 분수: $\frac{1}{7}$
답 $\frac{1}{7}$

참고
분모가 클수록 작은 분수이므로 가장 큰 수를 분모로 한다. → $\frac{1}{7}$

**대표 문제 3**

주 6

해 ❶ 답 **클수록**에 ○표
❷ 분모가 7인 분수 중 분자가 2보다 크고 6보다 작은 분수를 모두 찾는다. → $\frac{3}{7}$, $\frac{4}{7}$, $\frac{5}{7}$
답 $\frac{3}{7}$, $\frac{4}{7}$, $\frac{5}{7}$
❸ $\frac{3}{7}$, $\frac{4}{7}$, $\frac{5}{7}$ → 3개
답 3개

**쌍둥이 문제 3-1**

주 · 분모: 8
· $\frac{3}{8}$보다 크고 $\frac{7}{8}$보다 작은 분수

❶ 분모가 같은 분수는 분자가 클수록 크다.
❷ 분모가 8인 분수 중에서 $\frac{3}{8}$보다 크고 $\frac{7}{8}$보다 작은 분수: $\frac{4}{8}$, $\frac{5}{8}$, $\frac{6}{8}$
❸ 위 ❷에서 구한 분수는 모두 3개이다.
답 3개

**대표 문제 4**

해 ❶ 5.8>5.4(×), 5.8<6.4(○), 5.8<7.4(○), 5.8<8.4(○), 5.8<9.4(○)
답 6, 7, 8, 9
❷ 6.4<8.6(○), 7.4<8.6(○), 8.4<8.6(○), 9.4>8.6(×)
답 6, 7, 8
❸ 5.8<6.4<8.6, 5.8<7.4<8.6, 5.8<8.4<8.6
답 6, 7, 8

**쌍둥이 문제 4-1**

❶ 6.1<□.5의 □ 안에 알맞은 수: 6, 7, 8, 9
❷ 위 ❶에서 찾은 수 중에서 □.5<9.7의 □ 안에 알맞은 수: 6, 7, 8, 9
❸ 6.1<□.5<9.7의 □ 안에 알맞은 수: 6, 7, 8, 9
답 6, 7, 8, 9

3 STEP 수학 독해력 완성하기 | 140~143쪽

**독해 문제 1**

해 ❶ 1 m를 똑같이 10조각으로 나눈 것 중의 6이므로 $\frac{6}{10}$ m이다.

답 $\frac{6}{10}$ m

❷ $\frac{6}{10}$ m를 소수로 나타내면 0.6 m이다.

답 0.6 m

**독해 문제 2**

해 ❶ 9 cm 7 mm = 9 cm + 0.7 cm = 9.7 cm

답 9.7 cm

❷ 자연수 부분의 크기를 비교해 보면 10 > 9이므로 10.5 > 9.7이다.

답 >, 9.7

❸ 10.5 cm > 9.7 cm이므로 철사를 더 많이 사용한 사람은 상현이다.

답 상현

**독해 문제 2-1** | 정답에서 제공하는 **쌍둥이 문제**

가 나무 도막의 길이는 20.1 cm이고,
나 나무 도막의 길이는 22 cm 5 mm입니다./
더 긴 것의 기호를 써 보세요.

구 길이가 더 긴 나무 도막
주 •가 나무 도막의 길이: 20.1 cm
 •나 나무 도막의 길이: 22 cm 5 mm
어 **1** 나 나무 도막의 길이를 cm 단위로 나타내고
 **2** 가와 나의 나무 도막의 길이를 비교하여 더 긴 것을 구하자.
해 ❶ 나 나무 도막의 길이를 cm 단위로 나타내면
 22 cm 5 mm = 22 cm + 0.5 cm
 = 22.5 cm
❷ 가 나무 도막과 나 나무 도막의 길이를 비교해 보면 20.1 cm < 22.5 cm이다.
❸ 나무 도막의 길이가 더 긴 것은 나이다.

답 나

**독해 문제 3**

해 ❶ 8조각의 $\frac{1}{4}$이므로
 8÷4 = 2(조각)만큼 색칠한다.

답 예 , 2조각

❷ $\frac{3}{4}$은 $\frac{1}{4}$이 3개이다.

답 3개

❸ 전체의 $\frac{1}{4}$이 2조각이므로 $\frac{3}{4}$은
 2×3 = 6(조각)이다.

답 6조각

**독해 문제 3-1** | 정답에서 제공하는 **쌍둥이 문제**

연아는 빵을 똑같이 8조각으로 나누어/
전체의 $\frac{2}{4}$만큼 먹었습니다./
연아가 먹은 빵은 몇 조각인가요?

구 연아가 먹은 빵의 조각 수
주 •빵을 똑같이 나눈 조각 수: 8조각
 •연아가 먹은 양: 전체의 $\frac{2}{4}$
어 **1** 빵 전체의 $\frac{1}{4}$만큼은 몇 조각인지 구하고,
 $\frac{1}{4}$과 $\frac{2}{4}$의 관계를 알아본 후,
 **2** 연아는 빵을 몇 조각 먹었는지 구하자.
해 ❶ 빵을 똑같이 8조각으로 나누었을 때 전체의 $\frac{1}{4}$만큼은 2조각이다.
❷ $\frac{2}{4}$는 $\frac{1}{4}$이 2개이다.
❸ 전체의 $\frac{1}{4}$이 2조각이므로 $\frac{2}{4}$는
 2×2 = 4(조각)이다.

답 4조각

**독해 문제 4**

해 ❶ 답 ■에 ○표, ▲에 ○표
❷ 답 7, 5, 1
❸ 답 7.5

## 독해 문제 4-1　　　　정답에서 제공하는 **쌍둥이 문제**

3장의 수 카드 중 2장을 골라 한 번씩만 사용하여／
소수 ■.▲를 만들려고 합니다./
만들 수 있는 소수 중에서 가장 큰 수를 구해 보세요.

**구** 만들 수 있는 소수 중에서 가장 큰 수

**어** 1 가장 큰 ■.▲를 만들 때 가장 큰 수와 두 번째로 큰 수를 놓아야 하는 자리를 알아보고

　　 2 수 카드의 수의 크기를 비교하여

　　 3 만들 수 있는 소수 중에서 가장 큰 수를 구하자.

**해** ❶ 가장 큰 ■.▲를 만들려면 가장 큰 수를 ■에 놓고, 두 번째로 큰 수를 ▲에 놓아야 한다.

　　 ❷ 수 카드의 수의 크기 비교: 9>6>2

　　 ❸ 만들 수 있는 소수 중에서 가장 큰 수: 9.6

**답** 9.6

---

## 독해 문제 5

**주** • 3
　　 • 0.2

**해** ❶ $0.2 = \dfrac{2}{10}$

**답** $\dfrac{2}{10}$

❷

| 빨간색 | 노란색 |
|---|---|
|  |  |

전체의 $\dfrac{3}{10}$과 전체의 $\dfrac{2}{10}$를 칠하고 남은 부분은 전체의 $\dfrac{5}{10}$이다.

➡ (남은 부분)=(파란색을 칠한 부분)=$\dfrac{5}{10}$

**답** $\dfrac{5}{10}$

❸ $\dfrac{5}{10} > \dfrac{3}{10} > \dfrac{2}{10}$이므로 가장 넓은 부분을 칠한 색은 파란색이다.

**답** 파란색

---

## 독해 문제 5-1　　　　정답에서 제공하는 **쌍둥이 문제**

미연이네 집 텃밭 전체의 $\dfrac{4}{10}$에 상추를 심고,/ 전체의 0.5에 고추를 심었습니다./ 나머지 부분에 모두 양파를 심었다면/ 가장 넓은 부분에 심은 채소는 무엇인가요?

**구** 가장 넓은 부분에 심은 채소

**주** • 상추를 심은 부분: 전체의 $\dfrac{4}{10}$

　　 • 고추를 심은 부분: 전체의 0.5

　　 • 양파를 심은 부분: 나머지 부분

**해** ❶ 고추를 심은 부분: 전체의 $\dfrac{5}{10}$

❷

➡ 양파를 심은 부분: 전체의 $\dfrac{1}{10}$

❸ $\dfrac{5}{10} > \dfrac{4}{10} > \dfrac{1}{10}$이므로 가장 넓은 부분에 심은 채소는 고추이다.

**답** 고추

---

## 독해 문제 6

**주** • 10
　　 • 큰에 ○표
　　 • 작은에 ○표

**해** ❶ $0.3 = \dfrac{3}{10}$

**답** $\dfrac{3}{10}$

❷ $\dfrac{1}{10}$이 8개인 수: $\dfrac{8}{10}$

**답** $\dfrac{8}{10}$

❸ 분모가 10인 분수 중 $\dfrac{3}{10}$보다 크고 $\dfrac{8}{10}$보다 작은 분수의 분자는 3보다 크고 8보다 작아야 한다.

➡ $\dfrac{4}{10}, \dfrac{5}{10}, \dfrac{6}{10}, \dfrac{7}{10}$

**답** $\dfrac{4}{10}, \dfrac{5}{10}, \dfrac{6}{10}, \dfrac{7}{10}$

**독해 문제 | 6-1**    정답에서 제공하는 **쌍둥이 문제**

[조건]에 맞는 분수를 모두 구해 보세요.

┌─[조건]─────────────────┐
• 분모가 10입니다.

• 0.5보다 큰 수입니다.

• $\frac{1}{10}$이 9개인 수보다 작은 수입니다.
└──────────────────────┘

**주** • 분모: 10

• 0.5보다 큰 수

• $\frac{1}{10}$이 9개인 수보다 작은 수

**어** **1** 0.5를 분수로 나타내고, $\frac{1}{10}$이 9개인 수를
분수로 나타낸 다음

**2** 조건에 맞는 분수를 모두 찾아보자.

**해** **1** $0.5=\frac{5}{10}$

**2** $\frac{1}{10}$이 9개인 수는 $\frac{9}{10}$이다.

**3** 분모가 10인 분수 중 $\frac{5}{10}$보다 크고 $\frac{9}{10}$보다

작은 수: $\frac{6}{10}$, $\frac{7}{10}$, $\frac{8}{10}$, $\frac{9}{10}$

**답** $\frac{6}{10}$, $\frac{7}{10}$, $\frac{8}{10}$, $\frac{9}{10}$

**STEP 4** 창의·융합·코딩 **체험하기**    144~147쪽

**융합 1**

전체를 똑같이 나눈 수를 알아본다.
인도네시아: 2, 이탈리아: 3,
모리셔스: 4, 오스트리아: 3

**답** **모리셔스**

**융합 2**

각 국기에서 빨간색 부분은 전체의 몇 분의 몇인지 알
아본다.

인도네시아: $\frac{1}{2}$, 이탈리아: $\frac{1}{3}$,

모리셔스: $\frac{1}{4}$, 오스트리아: $\frac{2}{3}$

**답** **오스트리아**

**융합 3**

이탈리아: $\frac{1}{3}$, 모리셔스: $\frac{1}{4}$

➡ $\frac{1}{3}>\frac{1}{4}$이므로 초록색 부분이 더 넓은 국기는 이탈
리아 국기이다.

**답** **이탈리아**

**융합 4**

$1>\frac{1}{2}>\frac{1}{4}$이므로 음의 길이가 가장 짧은 것은

♪이다.

**답** ( )( )( ○ )

**창의 5**

$35>27>20>17>10$이므로 비가 가장 많이 올
것으로 예상되는 지역은 서울이고, 예상 비의 양은
$35\,mm=3.5\,cm$이다.

**답** **3.5 cm**

**창의 6**

• 부분의 모양이 전체에 포함될 수 있는 모양은
㉠, ㉢, ㉤이다.

• 부분은 전체를 똑같이 4로 나눈 것 중의 3이므로 $\frac{3}{4}$
이다.

**답** ㉠, ㉢, ㉤ / $\frac{3}{4}$

**창의 7**

소수의 크기를 비교해 본다.
㉡ $7.3>$㉠ $6.9>$㉢ $6.5$이므로 1장당 판매 가격이
가장 저렴한 것은 ㉢이다.

**답** ㉢

**코딩 8**

$0.5=\frac{5}{10}$이고 분자가 4보다 크므로 '○'가 인쇄된다.

**답** ○

**분모가 2만큼 더 커진다.**

$$\frac{1}{5} \rightarrow \frac{1}{7} \rightarrow \frac{1}{9}$$

↓ — 분자가 2만큼 더 커진다.

$$\frac{3}{6} \leftarrow \frac{3}{9}$$

**분모가 3만큼 더 작아진다.**

답 $\dfrac{3}{6}$

**종합평가 실전 마무리 하기** 148~151쪽

**1** ❶ ㉠ 42 mm=4.2 cm
㉡ 10 cm 7 mm=10.7 cm
❷ 잘못 나타낸 것: ㉡

답 ㉡

**2** ❶ 소수로 나타내기: ㉠ 3.8, ㉡ 3.3
❷ 더 큰 수: ㉠

답 ㉠

**3** ❶ 전체를 똑같이 나눈 조각 수: 8조각
❷ 남은 조각 수: 8−2=6(조각)
❸ 남은 케이크를 분수로 나타내기: $\dfrac{6}{8}$

답 $\dfrac{6}{8}$

**4** ❶ 소수의 크기 비교하기: 0.7<0.9
❷ 용돈을 더 많이 사용한 사람은 진욱이다.

답 **진욱**

**5** ❶ 사용한 끈의 길이를 분수로 나타내기: $\dfrac{8}{10}$ m
❷ 위 ❶에서 구한 길이를 소수로 나타내기: 0.8 m

답 **0.8 m**

**6** ❶ 단위분수는 분모가 작을수록 크다.
❷ 분모의 크기를 비교하면 4<5<8이므로
$\dfrac{1}{4} > \dfrac{1}{5} > \dfrac{1}{8}$이다.
❸ 주스를 가장 많이 마신 사람은 연수이다.

답 **연수**

**7** ❶ 민서가 가지고 온 끈의 길이: $\dfrac{5}{10}$ m=0.5 m
❷ 1.2>0.9>0.5이므로 가장 짧은 끈을 가지고 온 사람은 민서이다.

답 **민서**

**8** ❶ 분모가 6인 분수 중 가장 큰 분수를 만들려면 분자에 가장 큰 수를 놓아야 한다.
❷ 수 카드의 수의 크기 비교하기: 5>4>2
❸ 분모가 6인 가장 큰 분수 만들기: $\dfrac{5}{6}$

답 $\dfrac{5}{6}$

**9** ❶ 떡을 12조각으로 나누었을 때 전체의 $\dfrac{1}{6}$만큼:
2조각
❷ $\dfrac{2}{6}$는 $\dfrac{1}{6}$이 2개이다.
❸ 미정이가 먹은 떡: 2×2=4(조각)

답 **4조각**

**10** ❶ 3.3<□.1의 □ 안에 알맞은 수: 4, 5, 6, 7, 8, 9
❷ 위 ❶에서 찾은 수 중에서 □.1<7.4의 □ 안에 알맞은 수: 4, 5, 6, 7
❸ 3.3<□.1<7.4의 □ 안에 알맞은 수: 4, 5, 6, 7

답 **4, 5, 6, 7**

**11** ❶ 미선이가 먹은 양: 전체의 $\dfrac{5}{10}$
❷ 준하가 먹은 양: 전체의 $\dfrac{3}{10}$
❸ 피자를 가장 많이 먹은 사람: 미선

답 **미선**

**12** ❶ 0.1이 6개인 수: 0.6=$\dfrac{6}{10}$
❷ $\dfrac{1}{10}$이 9개인 수: $\dfrac{9}{10}$
❸ 분모가 10인 분수 중 $\dfrac{6}{10}$보다 크고 $\dfrac{9}{10}$보다 작은 수: $\dfrac{7}{10}$, $\dfrac{8}{10}$

답 $\dfrac{7}{10}$, $\dfrac{8}{10}$

**수학 심화 문제 해결서**

상위권 실력 완성

# 최고수준
# 수학

| 상위권 필수 교재 | 심화 유형 집중 공략 | 다양한 부가자료 |
|---|---|---|
| 각종 경시 유형 문제와<br>완벽한 피드백 제공으로 실전에 강한<br>수학 상위권 실력 완성 | 대표 심화 유형 문제 및<br>쌍둥이 문제, 발전 문제 수록으로<br>심화 유형 집중 학습 가능 | 유명강사의 명강의를 들을 수 있는<br>문제풀이 동영상 강의 및<br>나만의 오답노트 앱 제공 |

한 문제에 울고 웃는
상위권을 위한 수학교재
(초등 1~6학년 / 학기별)

정답은
이안에
있어.!

**난이도 별점**
쉬움 ★
보통 ★★★
어려움 ★★★★★
최상위 ★★★★★★★

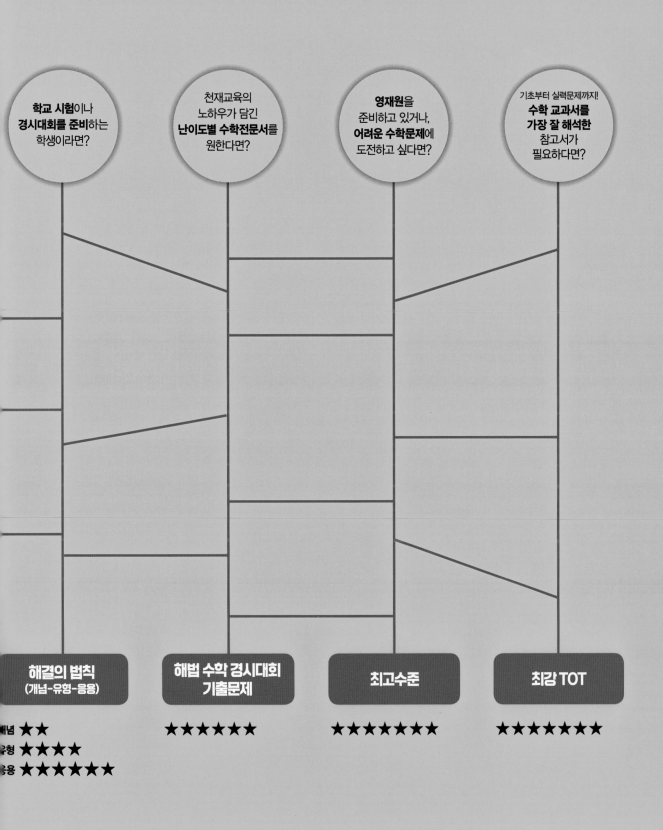

학교 시험이나
**경시대회를 준비**하는
학생이라면?

천재교육의
노하우가 담긴
**난이도별 수학전문서**를
원한다면?

**영재원**을
준비하고 있거나,
**어려운 수학문제**에
도전하고 싶다면?

기초부터 실력문제까지!
**수학 교과서를
가장 잘 해석한**
참고서가
필요하다면?

**해결의 법칙**
(개념-유형-응용)

**해법 수학 경시대회
기출문제**

**최고수준**

**최강 TOT**

개념 ★★
유형 ★★★★
응용 ★★★★★

★★★★★★

★★★★★★★

★★★★★★★

# 배움으로 행복한 내일을 꿈꾸는
# 천재교육 커뮤니티 안내

교재 안내부터 구매까지 한 번에!
## 천재교육 홈페이지

천재교육 홈페이지에서는 자사가 발행하는 참고서,
교과서에 대한 소개는 물론 도서 구매도 할 수 있습니다.
회원에게 지급되는 별을 모아 다양한 상품 응모에도
도전해 보세요.

구독, 좋아요는 필수! 핵유용 정보 가득한
## 천재교육 유튜브 <천재TV>

신간에 대한 자세한 정보가 궁금하세요?
참고서를 어떻게 활용해야 할지 고민인가요?
공부 외 다양한 고민을 해결해 줄 채널이 필요한가요?
학생들에게 꼭 필요한 콘텐츠로 가득한 천재TV로 놀러오세요!

다양한 교육 꿀팁에 깜짝 이벤트는 덤!
## 천재교육 인스타그램

천재교육의 새롭고 중요한 소식을 가장 먼저 접하고 싶다면?
천재교육 인스타그램 팔로우가 필수!
누구보다 빠르고 재미있게 천재교육의 소식을 전달합니다.
깜짝 이벤트도 수시로 진행되니 놓치지 마세요!